ISIDORA

GEORGE SAND

ISIDORA

Préface de
Ève Sourian

des femmes
Antoinette Fouque

© 1990, *Des femmes*-Antoinette Fouque
6, rue de Mézières - 75006 Paris -France
2004, deuxième édition.
Site internet : desfemmes.fr
ISBN : 2-7210-0488-3

PRÉFACE

Isidora ou la dame aux Camélias
de George Sand

Isidora parut d'abord dans *La Revue indépendante* des 25 mars, 10 avril, 10 mai, 25 mai et 10 juin 1845. La première édition de librairie suivit en 1846. Le manuscrit n'existe plus. George Sand en avait fait don à Henri de Latouche, mais les papiers de ce dernier disparurent en 1871 quand les Prussiens occupèrent sa maison d'Aulnay. Au cours de cet hiver particulièrement rigoureux, ils auraient brûlé tout ce qu'ils trouvaient et c'est ainsi que s'évanouit en fumée ce manuscrit[1] : « Un roman d'amour sérieux et triste... Quand je vous disais, écrivait Latouche à George Sand, que c'était le manuscrit du roman que vous faisiez, que je voulais conserver comme une relique ! Oui, c'est celui-là que je veux puisque vous me permettez de choisir ; il réussira moins qu'un autre devant le public ? donc il aura plus de cœur, de délicatesse et de style que tout ce qui se publie autour de vous[2]. »

A la Bibliothèque nationale se trouve un manuscrit intitulé *Journal d'un solitaire à Paris* (Naf 16889, fol. 1-36). George Sand l'avait envoyé à Hetzel et il constitua la première partie du roman qui fut d'abord publié dans *La Revue indépendante*. Les folios 10, 11, 12 et 13 ont été éliminés dans la version de la revue qui est aussi celle du roman. Les coupures avaient été conseillées par Hetzel et George Sand lui écrivit le 4 décembre 1844 :

> « J'arrive ! ne m'envoyez pas les épreuves du *Solitaire* à moins que vous ne soyez très pressé ; je serai à Paris dans huit jours, et je voudrais m'entendre avec vous sur la coupure. Vous désapprouvez depuis la portière, jusqu'au billet jeté par la fenêtre, inclusivement ou exclusivement ? Je couperai tout ce que vous voudrez, mais vous ne précisez pas assez le point de suture. Je ferai tout ce que vous voudrez, et sans regret, aussi ne vous gênez pas. Je crois aux premières impressions de lecture plus qu'aux critiques de feuilleton savamment distillées. Ainsi je vous écouterai et vous contenterai [3]. »

George Sand condensa. Nous ne possédons pas de manuscrit pour la deuxième partie, mais celui de la troisième partie se trouve à la bibliothèque Lovenjoul de l'Institut (E 841, fol. 71-117) et *La Revue indépendante* ainsi que le roman le reproduisirent fidèlement à quelques mots près.

Isidora, c'est le portrait et l'histoire d'une courtisane. Ce n'était d'ailleurs pas la première fois que George Sand abordait ce thème puisque la froide et pure Lélia a pour sœur Pulchérie la courtisane. Balzac avait aussi traité ce sujet (*Splendeurs et misères des courtisanes,* 1823-1830) et le nom Isidora n'est pas sans évoquer celui de Fœdora, la femme sans cœur de *La Peau de chagrin* (1833). Comme Fœdora, Isidora n'éprouve aucune pitié pour ses amants. Mais Isidora doit peut-être son nom à Molière que George Sand aimait tant. En effet, dans *Le Sicilien ou l'Amour peintre,* Isidore l'héroïne est une jeune esclave grecque que le vieux barbon jaloux Dom Pèdre a affranchie dans l'intention de l'épouser.

> « Vous prenez un mauvais parti, dit Isidore à Dom Pèdre, et la possession d'un cœur est fort mal assurée, lorsqu'on prétend le retenir par force[...] l'on ne tarde guère à profiter du chagrin et de la colère que donnent à l'esprit d'une femme la contrainte et la servitude[4]. »

En vain, Dom Pèdre lui objecte la reconnaissance qu'elle lui doit. N'était-elle pas esclave ? Ne l'a-t-il pas affranchie pour l'épouser ? Isidore réplique :

> « Quelle obligation vous ai-je, si vous changez mon esclavage en un autre beaucoup plus rude ? Si vous ne me laissez jouir d'aucune liberté, et me fatiguez, comme on voit, d'une garde continuelle[5] ? »

De fait, comme Isidore la belle esclave grecque, Isidora la courtisane est jalousement surveillée par le comte de S., l'homme riche qui l'aime et qui l'entretient. Dans la pièce de Molière et dans le roman la femme en lutte contre l'homme se présente en maître ou en esclave.

Produit d'une société qui nie l'égalité de

l'homme et de la femme, l'Isidora de George Sand va être conforme au mythe manichéen si cher au XIXe siècle de la double nature de la femme. « Ils ont toujours placé la femme trop haut ou trop bas[6] », s'écriait Jacques Laurent réfléchissant sur la nature de la femme. Pour incarner cette dualité George Sand recourt au dédoublement : il y a Julie, l'ange, et il y a Isidora, le démon.

Julie vêtue d'un manteau de velours noir doublé d'hermine se promène seule dans son jardin avec son lévrier gris perle. C'est dans ce jardin parisien exotique, lieu de délices où tout a été créé pour la vue et les sens, que Jacques va faire de Julie son idole. Le prénom de Julie devait évoquer l'amante de Saint-Preux, symbole de vertu, d'amour et de fidélité. « Une telle femme n'a pas sa place dans la société présente, et il n'y en a pas d'assez élevée pour elle[7]. » Entourée de camélias blancs, Julie devient la « dame aux camélias ».

C'est alors qu'un soir, à minuit, Jacques rencontre Isidora vêtue d'un domino noir à nœuds roses, les nœuds roses indiquant son état de courtisane. Elle l'entraîne dans le tourbillon lugubre d'un bal fourmillant de dominos noirs, et c'est dans cette cohue triste et agitée qu'elle attaque Jacques. Les deux principes, le bien et le mal, la matière et l'esprit s'affrontent : « Je vois bien que tu es amoureux de la dame aux camélias ! » s'écrie-t-elle[8]. « Je sais que tu adores le camélia, apparemment tu méprises la rose[9] ! » Jacques ne choisit pas, il veut l'impossible : « La rose est enivrante mais elle ne vit qu'un instant, dit-il. Je voudrais lui donner la persistance et la durée d'un camélia blanc, symbole de pureté[10]. » Succombant enfin aux charmes de son inconnue, Isidora, Jacques découvre alors qu'Isidora et Julie ne sont qu'une seule et même personne : ange et démon, reine et esclave, camélia blanc et pur, rose enivrante, patricienne vêtue d'hermine, domino masqué de noir.

George Sand se place ainsi dans la tradition romantique où la courtisane représente le type privilégié qui permet de faire coexister en une seule personne la double nature de la femme, l'ange et le démon. Certes *Isidora* est une sorte de retour à *Lélia*. On y retrouve les mêmes dichotomies. Dans ce roman, George Sand avait fait de Pulchérie et de Lélia deux êtres distincts opposés quoique sœurs ; elle les réunit en un seul dans *Isidora* pour mieux montrer la dualité de la courtisane, ange et démon. Cependant, dans *Lélia,* un lien profond unissait les deux sœurs. « Si Pulchérie est devenue une courtisane c'est qu'elle est ma sœur, explique Lélia... c'est qu'elle a cherché un amant parmi les hommes avant d'avoir tous les hommes pour amants [11]. » « La fille publique est la véritable épouse [...] des hommes de cette génération... Prêtresse de la matière [...] elle n'exige que ce que de tels hommes peuvent donner, de l'or [12]. »

Pour George Sand, la courtisane, c'est aussi le pauvre qui a réussi à se faire une place dans la société :

> « Oh ! madame, on n'est pas belle et pauvre impunément dans notre abominable société de pauvres et de riches, et le don de Dieu, le plus magique de tous, la beauté de la femme, la femme du peuple doit trembler de le transmettre à sa fille... C'est que la beauté et la

11

misère forment un assemblage si monstrueux !
La misère laide, sale, cruelle, le travail implacable, dévorant, les privations obstinées, le
froid, la faim, l'isolement, la honte, les haillons, tout cela est si sûrement mortel pour la
beauté ! Et la beauté est ambitieuse... Elle ne
veut pas servir, mais commander ; elle veut
monter et non disparaître [...] mais hélas ! à
quel prix la société lui accorde-t-elle ce règne
funeste et cette ivresse d'un jour [13] ? »

La dame aux camélias de George Sand évoque
ainsi une autre *Dame aux camélias* bien plus célèbre,
celle d'Alexandre Dumas fils. Il publia son roman
en 1848, deux ans après la parution en librairie
d'*Isidora*. Peut-être l'avait-il lue car il admirait
George Sand. Au cours de leur longue correspondance encore inédite ils ne parlèrent jamais d'*Isidora*. Dans sa préface (1867) à la pièce de théâtre
La Dame aux camélias, il écrivit en note : « Ce n'est
pas pour protester contre l'étymologie du mot
camellia, que j'écrivis ce mot avec une seule « l »,
c'est parce que je croyais jadis qu'on l'écrivait ainsi,
et, si je me tiens à cette orthographe, malgré les
critiques des érudits, c'est que, madame Sand écrivant ce mot comme moi, j'aime mieux mal écrire
avec elle que bien écrire avec d'autres [14]. » Quant à
George Sand, le 23 août 1861, elle lui écrivit : « J'ai
lu à Gargilesse *La Dame aux camélias* et des nouvelles. Vous écrivez mieux que ça à présent, mais
c'est jeune et ça a les grandes qualités de la jeunesse [15]. »

Tout porte à croire qu'ils eurent le même
modèle. Elle s'appelait Alphonsine Plessis. Elle était

l'élégance même. « Elle était très mince, on pourrait
même dire maigre, mais fine et élancée. Elle avait
un visage ovale angélique, des yeux noirs caressants
et mélancoliques, un teint éblouissant et surtout des
cheveux magnifiques [16]. » Dans la mesure où les
fleuristes pouvaient lui en procurer, elle avait toujours sur elle des camélias. « Une vieille ouvreuse de
l'Opéra l'appela la Dame aux camélias bien avant
que Dumas fils n'ait écrit son roman [17]. » Peut-être
George Sand songea-t-elle à Alphonsine Plessis en
écrivant *Isidora* qu'elle appela la dame aux camélias.
Elle pouvait l'avoir rencontrée. Alphonsine Plessis
en effet voulut acheter une propriété à Plessis près
de Nohant et se fit appeler Marie Duplessis, Marie
à cause de la Vierge et Duplessis à cause de cette
propriété qu'elle espérait acheter. D'autre part elle
connaissait certains des meilleurs amis de George
Sand, Marie Dorval et Franz Liszt. Ses théâtres
favoris étaient la Comédie-Française et les deux
opéras. Elle ne manquait jamais une première...
Pendant les entractes elle avait sa cour : des acteurs
et des actrices célèbres ; Liszt lui donna des leçons
de piano. Curieusement la fiction précède même la
réalité car, après la parution du roman, Marie
Duplessis, comme Isidora, acquit le signe extérieur
de la respectabilité. Le 21 février 1846, elle épousa
le comte Édouard de Perregaux. Malheureusement
les époux ne s'entendirent pas longtemps et Marie
retourna à sa vie et à son appartement du boulevard
de la Madeleine. De ce mariage, Marie aurait pu
dire, comme Isidora : « [...] fausse dignité, une
puissance illusoire, une comédie de réhabilitation,
un masque sur l'infamie de mon nom de fille [18]. »
Finalement on croit entendre Isidora lorsque Marie

explique sa vie à madame Judith, une actrice du théâtre des Variétés.

« Pourquoi me suis-je vendue ? dit-elle. Parce qu'un travail honnête ne m'aurait jamais apporté le luxe dont j'avais un désir effréné. Quoi que vous puissiez penser, je n'ai jamais été intéressée ou vicieuse. Je voulais seulement connaître les raffinements d'une société élégante et cultivée... J'ai toujours choisi mes amis. Et j'ai aimé. Ah ! oui, j'ai vraiment aimé, mais personne n'a jamais répondu à mon amour. Voilà le drame de ma vie[19]. »

Comme Marie, Isidora aurait voulu aimer :

« Suis-je donc criminelle pour n'avoir pas trouvé l'amour, pour moins encore, pour n'avoir pas su qu'il n'existait pas ? Et ne trouvant pas la réalité de l'amour, il a fallu me contenter du semblant... Une courtisane intelligente, douée d'un esprit sérieux et d'un cœur aimant ! mais c'est une monstruosité[20] ! »

Les deux courtisanes ont donc bien des points en commun, mais Isidora n'est pas Marie Duplessis. En 1853, George Sand mit les choses au point en écrivant une préface :

« A Paris, 1845. C'était une très belle personne, extraordinairement intelligente, et qui vint plusieurs fois verser son cœur à mes pieds, disait-elle. Je vis parfaitement qu'elle posait devant moi et ne pensait pas un mot de ce qu'elle disait la plupart du temps. Elle eût pu être ce qu'elle n'était pas. Aussi n'est-ce pas elle que j'ai dépeinte dans Isidora (Nohant, 17 janvier 1853)[21]. »

En fait, les deux femmes sont essentiellement différentes. Isidora est « régénérée », Marie ne l'est pas. Il était dans la tradition romantique de présenter la courtisane régénérée par l'amour : Marion Delorme en est un exemple. L'amour d'Esther pour Lucien de Rubempré ainsi que plus tard celui de Marguerite Gautier pour Armand sont une sorte de régénération. Mais dans tous les cas la société oppressive et répressive finissait par triompher. L'originalité de George Sand, c'est d'avoir rompu avec cette tradition romantique. Ce n'est pas par l'homme que la courtisane sera régénérée, mais par une femme. Seule la femme est capable d'assumer cette tâche.

D'abord George Sand avait très bien compris qu'il y avait le problème de l'amour véritable chez une courtisane. La courtisane peut-elle aimer ?

« Le manque d'amour me tue, s'écrie Isidora, et le besoin d'être aimée me torture... Et pourtant je ne suis pas sûre de n'avoir pas perdu moi-même, au milieu de tant de souffrances, la puissance d'aimer [...] vous n'avez pas compris que Dieu serait trop indulgent s'il permettait aux âmes qui abusent de ses dons de ne pas arriver à la satiété et à l'impuissance[22]. »

D'autre part, existait-il un homme capable d'aimer véritablement une courtisane et d'oublier son passé ? La réponse est négative. Certes, la liaison avec le comte de S. crée Julie, mais Isidora existe toujours : Julie le jour, Isidora la nuit. C'est un amour qui divise et n'a pas pu unir. L'amour de

Jacques non plus ne peut régénérer Isidora. En vain veut-il qu'elle devienne pour lui Julie, en vain rêve-t-il d'en faire aussi une seule femme qui serait à la fois la rose enivrante et le camélia blanc. Isidora comprend que ce rêve est impossible. Ce que Jacques lui propose, c'est la dépendance totale, c'est-à-dire l'inégalité et l'humiliation. Elle refuse de partir avec lui :

> « Déjà des conditions ! dit-elle ; déjà le travail de ma réhabilitation qui commence... Eh quoi ! tu me demandes déjà des sacrifices ?... Tu acceptes la pécheresse à condition que, dès demain, dès aujourd'hui, elle passera à l'état de sainte ! Oh ! toujours l'orgueil et la domination de l'homme ! Il n'y a donc pas un instant d'ivresse où l'on puisse se réfugier contre les exigences d'un contrat[23] ? »

Lorsque, des années plus tard, Jacques retrouve Isidora, il comprend que seule une femme peut la sauver : « Je voudrais, lui dit-il, que vous dussiez le repos de votre conscience et la guérison de vos blessures à cette main de femme, plutôt qu'à celle d'aucun homme[24]. »

George Sand avait compris que la réhabilitation de la courtisane ne pouvait se faire par l'amour d'un homme, que c'était là une conception masculine finissant par l'humiliation de la femme. Il n'est besoin pour s'en convaincre que de lire « Lettres à une pécheresse », d'Alexandre Dumas fils :

> « La femme, écrit-il, ne peut rien tant qu'elle n'est pas deux [...] la meilleure politique avec elles (les femmes) est de se faire aimer. Une fois qu'elles aiment [...] rien de plus facile que

de les amener à l'oubli et même au sacrifice complet de leur personne... Comme il (Dumas fils) voulait vous faire monter, il s'est bien gardé de vous faire descendre. Au lieu de vous mettre d'abord sous lui, il vous a mise à côté de lui, et il a cherché en vous ce que personne n'avait eu l'esprit d'y voir et d'y recueillir. (Mais) on ne tire pas tout à coup de l'amour, de la vertu, de la fidélité, du platonisme et de la franchise, d'une femme, si désireuse qu'elle soit vraiment de bien faire, qui a vécu déjà pendant cinq ans comme vous l'avez fait. Certaines délicatesses se perdent forcément dans ce genre de vie [25]. »

Avec George Sand, la réhabilitation de la femme se fera par la femme et sans humiliation. C'est Alice, la belle-sœur d'Isidora, qui sera l'instrument de cette réhabilitation. L'amitié des deux femmes se développe au cours du roman malgré les protagonistes masculins. D'abord malgré le comte de S., frère adoré que pleure Alice. Certes, quatre heures avant de mourir, il a écrit une lettre à Alice, lettre dans laquelle il exprimait sa dernière volonté : « Je veux que ma femme soit ta sœur... Tous les autres la maudiront mais toi, tu lui pardonneras tout, parce qu'elle m'a véritablement aimé [26]. » Or Alice sait qu'Isidora ne l'a pas aimé et l'a même trompé avec Jacques. Pourtant elle ne la condamne pas : « Je sais de vous certaines choses que je comprends sans les approuver, dit-elle. Mais trois années de dévouement et de fidélité les ont expiées [27]. » Elle écoute la confession d'Isidora :

« Mon nom de patricienne et mon titre de comtesse, je les dois à l'amour aveugle et obstiné d'un homme que je ne pouvais pas aimer et que j'ai souvent trompé, avide et insatiable que j'étais d'un instant d'amour et de bonheur impossible à trouver. Cet homme excellent, mais homme du monde malgré tout, jaloux sans passion et généreux sans miséricorde, n'eût jamais osé faire de moi sa femme, s'il eût dû survivre à la maladie qui l'a emporté. A son lit de mort, il a voulu par un étrange caprice, me laisser dans le monde un rang auquel je ne songeais pas[28]. »

Fidèle au dernier vœu de son frère Félix, Alice est déterminée à remplir auprès d'Isidora le rôle de sœur. Elle est aussi consciente du fait que son frère était une sorte de misanthrope misogyne qui « avait de grands accès de scepticisme et presque de haine contre le genre humain et tout particulièrement contre les femmes[29] ». D'autre part Alice pouvait comprendre Isidora. Elle avait été victime non pas de la pauvreté mais de l'orgueil et des préjugés de famille. « Elle avait eu besoin d'appeler à son secours tout ce qu'elle avait de religion dans l'âme et de courage dans le caractère pour ne pas haïr le mari froid et dépravé auquel on l'avait unie à seize ans sans la consulter... Elle avait pris le mariage en horreur et le monde en mépris. Veuve à vingt ans, elle se trouvait libérée d'un lent et odieux supplice[30]. »

Rien d'étonnant donc à ce que les deux femmes se soient éprises du même homme dont George Sand souligne l'aspect androgyne :

> « Sa fine et abondante chevelure blonde, la
> transparence de son teint, la timidité de ses
> manières, contrastaient avec une taille élevée,
> des membres robustes, un courage physique
> extraordinaire ; sa main énorme, forte comme
> celle d'un athlète et cependant blanche et
> modelée comme un beau marbre, eût été d'une
> haute signification pour Lavater[31]... »

Mais Alice renonce à Jacques. Sœur spirituelle
de Lélia qui cherche l'infini dans la créature, elle ne
lui pardonne pas d'avoir succombé à Isidora. « S'il
m'aime, dit-elle, et qu'il se laisse distraire seulement
une heure, je ne pourrais jamais le lui pardonner. »
Elle l'abandonne donc à Isidora qui finalement
l'abandonne aussi. Ayant découvert l'amour de Jacques pour Alice, Isidora le renvoie vers cette
femme, sœur d'élection qu'elle aime et qu'elle
vénère. Maintenant Isidora est sauvée ! « Ce n'est
pas de Jacques que je suis guérie, écrit-elle à Alice,
c'est de l'amour[33]. » Le renoncement à l'amour
terrestre, charnel, a une valeur rédemptrice. A
partir de ce moment, Jacques disparaît du roman.
Alice et Jacques sont-ils amants ? Nous ne le savons
pas. Mais à quarante-six ans, Isidora est en paix,
réconciliée avec son passé, et elle accepte la nouvelle vie que lui apporte la vieillesse :

> « Eh bien oui, dit-elle, c'est une autre femme,
> un autre moi qui commence et dont je n'ai pas
> encore à me plaindre... Elle répare tout le mal
> que l'autre a fait, et, par-dessus le marché, elle
> lui pardonne ce que l'autre, agitée de remords,
> ne pouvait plus se pardonner à elle-même. La
> jeune tremblait toujours de retomber dans le

mal, elle le sentait sous ses pieds et n'osait faire un pas. La vieille marche en liberté et sans craindre les chutes, car rien ne l'attire plus vers les précipices[34]. »

Pourtant l'homme revient à la fin du roman sous la forme du fils d'Alice qui se présente incognito sous le nom de M. Charles de Verrières, évoquant ainsi l'ombre de Julien Sorel arrivant chez Mme de Rénal. Mais Isidora, régénérée, purifiée, résiste à la tentation de l'amant-fils :

« Si j'avais seize ou dix-sept ans, j'en serais folle, s'écrie-t-elle... Ce jeune homme m'avait servi de miroir pour me dire que j'étais belle encore... Jamais physionomie d'amoureux, enflammé à première vue, n'exprima mieux les angoisses et l'entraînement d'une passion soudaine[35]. »

Le jeune Charles, qui d'ailleurs est envoyé par sa mère, se présente comme une sorte de médiateur entre Alice et Isidora. Ainsi, Isidora rapporte à son amie :

« En me rendant votre portrait, il a pris impétueusement mes mains et y a porté ses lèvres, baisant à la fois et mes mains et votre image ; et alors se pliant sur ses genoux d'une manière enfantine et gracieuse, moitié fils, moitié amant : "Vous êtes la plus admirable des femmes ! s'est-il écrié, oui, après une autre femme que je sais[36]..." »

Mais Isidora ne cède pas à la tentation pour conserver l'ordre du beau jardin à l'italienne dans lequel se déroule son existence. Charles, de son vrai nom Félix, pourra peut-être épouser Agathe, sa fille adoptive.

L'amitié entre les deux femmes se développe donc et atteint son apogée lorsque l'homme disparaît du roman, en est absent. Cette amitié cependant s'inscrit dans une société patriarcale dont les caractéristiques s'expriment en termes binaires. Les termes de ces oppositions sont : Riches/pauvres, aristocratie/peuple, fort/faible, culture/nature, raison/sentiment, vérité/mensonge, agressivité/passivité, égoïsme/générosité.

Ces divisions ne sont pas seulement des oppositions de genres (fort = masculin, faible = féminin), elles expriment la division, l'oppression, l'inégalité. George Sand ne sépare pas genre et classe sociale. Ainsi *Isidora* est placé sous le signe de Jean-Jacques Rousseau. Isidora-Julie (Julie le jour) porte le nom de l'héroïne de *La Nouvelle Héloïse* et son livre de chevet, c'est *Du contrat social*. Dans la lignée de Mary Wollstonecraft, George Sand souligne ainsi la contradiction qui s'établit entre l'idéal démocratique de Rousseau et la place secondaire qu'il réserve à la femme dans cette démocratie. C'est pourquoi dans *Isidora,* George Sand place le pauvre et la femme dans la même catégorie : « [...] il n'a pas reçu, plus que la femme, par l'éducation, l'initiation à l'égalité... Il y a de mystérieuses et profondes affinités entre ces deux êtres, le pauvre et la femme [37]. » Elle blâme Rousseau :

> « Il n'a pas compris les femmes, ce sublime Rousseau, dit Julie. Il n'a pas su, malgré sa bonne volonté et ses bonnes intentions, en faire autre chose que des êtres secondaires dans la société. Il leur a laissé l'ancienne reli-

gion dont il affranchissait les hommes — il n'a pas prévu qu'elles auraient besoin de la même foi et de la même morale que leurs pères, leurs époux et leurs fils et qu'elles se sentiraient aviles d'avoir un autre temple et une autre doctrine. Il a fait des nourrices croyant faire des mères. Il a pris le sein maternel pour l'âme génératrice. Le plus spiritualiste des philosophes du siècle dernier a été matérialiste sur la question des femmes[38]. »

D'autre part, à l'inverse de Rousseau qui dans *La Nouvelle Héloïse* présente les deux amies Julie et Claire dans une situation d'égalité, George Sand délibérément les place dans des classes sociales différentes. Dans *Isidora* nous avons les deux extrêmes : Alice, l'aristocrate Madame de T., et la fille du peuple, Julie, qui par misère s'est vendue pour devenir Isidora. Nous avons aussi la dichotomie Julie/Isidora, Julie le jour, Isidora la nuit, Julie, la dame aux camélias, pure et blanche/Isidora la rose enivrante, le domino noir impur. Cette dichotomie n'exprime pas simplement une différence ou une opposition de genres masculin/féminin mais la fragmentation psychique de l'auteur et l'oppression sociale dont Isidora est la victime. Avec son manteau de velours noir doublé d'hermine, elle se promène dans le jardin enclos où elle est prisonnière le jour mais dont elle s'échappe la nuit. Ce jardin plein de fleurs blanches, avec sa fontaine de marbre blanc, ses oiseaux et le beau coussin de velours bleu céleste sur le banc de marbre blanc, ce jardin évoque les représentations de la Vierge Marie. D'ailleurs Jacques le dit plus tard : « Cette femme que j'avais vue vêtue de blanc au milieu des fleurs, représentait le sacrifice et l'abnégation, l'autre, celle qui se cachait sous un masque noir... me représentait la révolte de l'esclave qui brise ses fers [39]. » Ange/démon, prisonnière/révoltée, Isidora, c'est la fille du peuple qui veut sa liberté.

A l'opposé d'Isidora, il y a Alice, l'aristocrate un peu froide. Tout en elle est divin, angélique. Isidora lui dit : « Mes plus belles fleurs sont sans parfum et sans pureté auprès de vous [40]. » Entre les deux femmes les relations sont verticales et vont de bas en haut ou de haut en bas, traduisant leur place respective dans la société. Lors de leur première entrevue, « Isidora se laissa tomber aux pieds d'Alice, elle embrassa ses genoux avec transport et s'écria à plusieurs reprises : " Mon Dieu ! que vous me faites du bien ! Mon Dieu ! que je vous remercie [41] ! " » A la deuxième entrevue Isidora est à genoux devant Alice qui la bénit.

> « Appelez-moi votre sœur ! dites ce mot adorable, ma sœur ! s'écria Isidora en embrassant avec énergie les genoux d'Alice... Alice l'embrassa et lui donna le nom de sœur, en appelant sur elle la bénédiction de la grâce divine [42]. »

Maîtresse d'elle-même, Alice sait se contrôler. Elle cache soigneusement son amour pour Jacques. Isidora, elle, laisse toujours libre cours à ses sentiments, à son agressivité. C'est elle qui provoque Jacques à l'Opéra et lorsqu'elle le revoit, plusieurs années après, c'est encore elle qui prend l'initiative de leur réunion, s'appropriant ainsi le rôle traditionnellement masculin :

« Il me semble, avoue-t-elle à Alice, que j'ai fait une mauvaise action en voulant prendre possession de son âme malgré lui. A coup sûr, j'ai manqué à ma fierté habituelle, à mon rôle de femme en n'ayant pas la patience d'attendre qu'il se renflammât de lui-même[43]. »

De la même façon, Isidora ne conçoit ses relations avec Jacques ou le comte de G. qu'en termes de domination. Elle écrit à Jacques : « Vous n'auriez jamais pu m'aimer sans vouloir me dominer et m'humilier. Je domine et j'humilie Félix[44]. »

Finalement grâce au sacrifice d'Alice et à celui d'Isidora, grâce à la vieillesse aussi, le double Isidora/Julie va se résorber. Ainsi du jardin enclos, exotique et pleins de fleurs de Julie, du jardin naturel, abandonné et plein de charme de Jacques qui fit place au jardin régulier et sans ombre d'Alice, on arrive au jardin italien d'Isidora, le jardin de la vieillesse. C'est « un vaste et beau jardin bien planté, bien uni, bien noble à l'ancienne mode [...] un peu froid d'aspect quoique situé à l'abri des coups de vent [...] et l'on s'y promène ou l'on s'y repose, consolé et purifié, jouissant des tièdes bienfaits d'un soleil d'automne[45] ». Au bord du plus beau lac de la terre, sous le ciel de la paisible et riante Lombardie, Isidora renonce à jamais aux jardins de la jeunesse où tout est puissant, grandiose et heurté comme dans un admirable paysage des Alpes.

Mais si beau soit-il, ce jardin est une prison. « C'est encore assez grand pour qu'on y essaie une longue promenade, mais on aperçoit les limites au bout des belles allées droites, et il n'y a point là de

sentiers sinueux pour s'égarer [...] on a tout expié
en passant le seuil de cette noble prison dont on ne
doit plus sortir[46]. » Isidora, la fille du peuple, a-
t-elle été sauvée par Alice, l'aristocrate ? Est-ce là le
bonheur ? Elle le pense :

> « Il était donc de ma destinée que les hommes
> me perdraient et que je ne pourrais être sauvée
> que par les femmes ? Vous avez commencé ma
> conversion, chère Alice, vous l'avez voulue,
> vous y avez mis ,tout votre cœur, toute votre
> force. Agathe, qui vous ressemble à tant
> d'égards, l'achève sans se donner la moindre
> peine, sans se douter même de ce qu'elle
> fait[47]. »

Agathe, c'est la fille adoptive d'Isidora. Agathe
est froide. Son nom d'ailleurs évoque l'agate, pierre
extrêmement dure. Elle est « blanche comme un
beau marbre de Carare au sortir de l'atelier... C'est
un diamant sans défaut... C'est la vierge italienne
dans toute sa douceur, vierge sans extase et sans
transport, accueillant le monde extérieur sans l'embrasser, attentive, douce et un peu froide à force de
candeur[48]... » Par sa simple présence Agathe
continue la réhabilitation d'Isidora. « Elle semble
(lui) dire dans chaque regard : Vous avez voulu
avoir l'honneur d'être mère, songez que ce n'est pas
peu de chose et qu'une mère doit être l'image de la
perfection[49]. » Isidora se sent pleine de respect et
d'amour pour cette jeune fille qui porte aussi le
nom que George Sand donna à une jeune fauvette
qu'elle nourrissait, et qui un jour fut adoptée par
une autre jeune fauvette, Jonquille. « Ainsi cette
pauvrette avait fait de sa compagne une fille adop-

tive, elle qui n'était encore qu'une enfant, et elle n'avait appris à se nourrir elle-même que poussée et vaincue par un sentiment de charité maternelle envers sa compagne[50]. » Quoique du même sexe, les deux fauvettes restèrent inséparables. Il en était de même pour Isidora et Agathe.

L'amitié, la maternité élective vont donc « sauver » Isidora. Mais que signifie le salut dans cette société patriarcale ? Alice n'agit-elle pas pour son frère le comte de S. ? C'est à sa requête qu'elle assume cette fonction de sœur, récupérant Isidora, la préservant, la gardant prisonnière pour ce frère jaloux au-delà de la mort. N'avait-il pas tout prévu dans sa misanthropie et sa misogynie en épousant cette dernière, puis en la confiant à sa sœur, la seule femme au monde qu'il respectât ? Instrument du système patriarcal dont elle avait été victime elle-même, puisqu'on l'avait mariée pour des intérêts de caste sociale, Alice l'aristocrate, la castratrice a rempli sa fonction : Isidora est maîtrisée, neutralisée ; elle n'est plus un danger pour la famille du comte de S. D'où peut-être le silence d'Alice dans la troisième partie du roman constituée par les cahiers de Jacques et cinq longues lettres d'Isidora à Alice. Certes, Alice envoie son fils, mais celui-ci porte le prénom de son oncle, Félix, dont il évoque ainsi l'image. Le valet le présente comme M. Félix de T., le « neveu à feu M. le comte ». D'autre part, le jeune Félix avoue le but de sa visite : il avait entendu parler d'Isidora dans la famille. « Il avait malgré vous, malgré lui-même quelques préventions contre moi, écrit Isidora à Alice[51]. » On ne peut alors s'empêcher de penser au début de la deuxième partie du roman intitulé « Alice » qui nous montrait l'indignation de la famille de S. à la lecture du testament du comte de S. et à l'annonce de son mariage avec Isidora. « Notre nom a été souillé par une mésalliance inqualifiable[52] », disait un vieil oncle. Le jeune Félix, donc, avait résolu de voir sa tante sans se faire connaître. A présent, il est chez elle pour l'amour d'elle et « l'enfant Félix a pu constater, écrit Isidora à Alice, qu'à l'endroit des mœurs Isidora était désormais " irréprochable[53] " ». S'il épouse Agathe, il aura aussi un peu plus vite la fortune de son oncle qui doit lui revenir en grande partie de toute façon. Isidora, grâce à Alice, est donc bien récupérée par le système patriarcal qu'elle avait en vain essayé de rejeter. Elle est toujours prisonnière.

Il est intéressant que George Sand ait tant insisté sur les différences de genres et de classes sociales. Certes, toutes ses œuvres sont politiques, elle l'avoue elle-même à Buloz : « [...] dans tous mes livres jusque dans les plus innocents [...] vous y verrez une opposition continuelle contre vos bourgeois, vos hommes réfléchis, vos gouvernements, votre inégalité sociale, et une sympathie continuelle pour les hommes du peuple[54]. » Mais cet intérêt fut certainement exacerbé par sa situation personnelle vis-à-vis de sa mère et de sa grand-mère. Isidora rappelle l'instinctive, la violente et l'impétueuse fille du peuple, Sophie Dupin, et sa vie pénible avec l'aristocrate et froide Mme Dupin de Francueil qui n'accepta jamais la mésalliance de son fils. *Isidora* est aussi une suite à *Lélia* et par là même montre que George Sand aurait voulu résoudre l'impossible, c'est-à-dire tous les conflits auxquels la condition féminine l'exposait.

Isidora est l'un des romans les moins connus de George Sand. La construction du roman déroutait. « Œuvre assez faible. Elle manque d'homogénéité et la charpente en est imparfaite, surtout au début du roman[55]... », écrit Wladimir Karénine. « Œuvre peu connue, manquée et intéressante, exemple parfait d'autophagie[56] », déclare Pierre Reboul, qui cependant avoue avoir été conquis par ce roman. « Curieux roman, mal connu[57] », écrit George Lubin.

De fait, la composition du roman est très moderne et originale. Ainsi la première partie, « Le Journal d'un solitaire », est constituée par des fragments de cahiers appartenant à Jacques Laurent. Ces cahiers concernent son travail, ouvrage philosophique traitant de la nature de la femme et de sa place dans la société, mais d'autre part ces cahiers sont aussi son journal intime. A ces réflexions philosophiques sur la femme vient donc s'ajouter le journal de sa rencontre avec Isidora car nous la découvrons par les yeux de Jacques Laurent. Toute cette première partie est une fugue où s'entrecroisent les questions et réflexions philosophiques sur la femme et l'amour de Jacques. La deuxième partie intitulée « Alice » est consacrée aux relations du triangle Alice, Jacques, Isidora, et l'auteur lui-même est le narrateur. La troisième et dernière partie commence par les cahiers de Jacques, ensuite nous avons des lettres d'Isidora à Alice, sans réponses.

On a expliqué la composition du roman par les impératifs des contrats de George Sand avec les éditeurs. Ainsi son contrat avec *Le Constitutionnel* lui interdisait de donner à Hetzel des romans ou des nouvelles. En conséquence, elle lui envoya *Le Journal d'un solitaire à Paris,* journal qu'il ne publia pas. D'autre part, pour l'édition de librairie d'*Isidora,* il lui fallait gonfler la troisième partie du roman et elle ajouta quatre admirables lettres d'Isidora à Alice. « George Sand, on le sait par sa correspondance, déclare Georges Lubin, a été extrêmement embarrassée pour achever ce roman[58] », mais son génie, sa puissance créatrice surent tirer profit de cette situation. Jean-Pierre Lacassagne l'a très bien compris :

> « Ce qui m'a fasciné dans *Isidora,* dit-il, c'est une technique romanesque assez étonnante [...] surtout que cette technique permet une interrogation proprement romanesque sur la fonction de la femme dans la société, menée d'une manière très neuve et aussi complète que possible [...] il reste cette espèce d'aveu que fait George Sand par héros, héroïnes et roman interposés : " Je suis une femme — mais je ne sais pas ce que c'est qu'une femme, je ne sais pas qui je suis et je ne sais pas ma véritable place dans la société. " Et cela, la technique romanesque le révèle dans le foisonnement même des procédés multiples mis en œuvre et aussitôt abandonnés comme inefficaces[59]. »

Le modernisme d'Isidora est voulu et nous fait pénétrer dans la profondeur du monde sandien.

« La femme est-elle ou n'est-elle pas l'égale de l'homme dans les desseins, dans la pensée de Dieu ?... L'espèce humaine est-elle composée de deux êtres différents, l'homme et la femme ?... (Comment) régler les rapports de l'homme et de la femme dans la société, dans la famille, dans la politique [60] ? » Telles sont les questions posées dans *Lélia* et *Isidora*. Lélia finit dans le désespoir : « J'aime, dit Lélia, mais je n'aime personne... car l'homme que je pourrais aimer n'est pas né, et il ne naîtra peut-être que plusieurs siècles après ma mort [61]. » *Lélia* fut écrite dans les jardins de la jeunesse. George Sand avait vingt-neuf ans. Quand elle écrivit *Isidora*, elle avait quarante-deux ans et aux paysages violents et heurtés de *Lélia* vont succéder ceux de la vieillesse. *Lélia* est le roman de la révolte, *Isidora* est celui du renoncement, d'un monde dont l'homme est exclu. Certes ce n'est pas le bonheur, mais, pour la femme du XIXe siècle, c'était peut-être le meilleur des bonheurs possibles : « Quelles belles fleurs croissent dans le jardin de la vieillesse quand on a de tels enfants ! et qu'il est doux de vivre en eux quand on est dégoûté de vivre pour soi-même ! Que vous êtes heureuse d'être mère, et que je suis bien dédommagée de l'être devenue de cœur et d'esprit [62]. » Telle est la conclusion mélancolique et résignée d'Isidora.

ÈVE SOURIAN

NOTES

1. M. Georges Lubin a bien voulu me fournir ce renseignement, ainsi que la location des manuscrits et leurs cotes respectives.

2. George Sand, *Correspondance*, éd. Georges Lubin, Paris, Garnier, 1964-1989, 23 vol., VI, 790-791.

3. George Sand, *Correspondance*, VI, 724-725.

4. Molière, « Le Sicilien ou l'Amour peintre », dans : *Théâtre complet de Molière*, Paris, Garnier, 1960, 2 vol., II, 96.

5. Molière, *Théâtre complet*, II, 96.

6. George Sand, *Isidora*, p. 173.

7. *Ibid.*, p. 199.

8. *Ibid.*, p. 203.

9. *Ibid.*, p. 206.

10. *Ibid.*, p. 206.

11. George Sand, « Lélia », dans *Œuvres de George Sand*, Paris, Perrotin, 1842-1844, 16 vol.), VI, 301.

12. George Sand, *Lélia*, VI, 286.

13. *Isidora*, p. 291-292.

14. Alexandre Dumas fils, *Théâtre complet*, Paris, Michel Lévy Frères, 1870, I, 7.

15. George Sand, *Correspondance*, XVI, 524.

16. Joanne Richardson, *Les Courtisanes*, Paris, Stock, 1986, p. 168.

17. Joanne Richardson, *opus cité*, p. 179.

18. *Isidora*, p. 295.

19. Joanne Richardson, *Les Courtisanes*, p. 177.

20. *Isidora*, p. 293.

21. *Ibid.*, Notice, p. 169.

22. *Isidora*, p. 296.

23. *Ibid.*, p. 217.
24. *Ibid.*, p. 271.
25. Alexandre Dumas fils, « Lettres à une pécheresse », *La Revue de France*, 6 (15 mars 1924), p. 257-261.
26. *Isidora*, p. 291.
28. *Ibid.*, p. 295.
29. *Ibid.*, p. 257.
30. *Ibid.*, p. 239.
31. *Ibid.*, p. 244-245.
32. *Ibid.*, p. 311.
33. *Ibid.*, p. 327.
34. *Ibid.*, p. 329.
35. *Ibid.*, p. 351-352.
36. *Ibid.*, p. 362.
37. *Ibid.*, p. 182.
38. *Ibid.*, p. 197.
39. *Ibid.*, p. 249.
40. *Ibid.*, p. 287.
41. *Ibid.*, p. 260.
42. *Ibid.*, p. 299.
43. *Ibid.*, p. 300.
44. *Ibid.*, p. 219.
45. *Ibid.*, p. 332.
46. *Ibid.*, p. 332.
47. *Ibid.*, p. 336.
48. *Ibid.*, p. 340.
49. *Ibid.*, p. 336.
50. George Sand, « Histoire de ma vie », dans *Œuvres autobiographiques*, Paris, Gallimard, 1971, 2 vol., I, 19-20.
51. *Isidora*, p. 365.
52. *Ibid.*, p. 223-224.
53. *Ibid.*, p. 366.
54. George Sand, *Correspondance*, V, 437.
55. Wladimir Karénine, *George Sand*, Paris, Plon, 1912, 4 vol., III, 461.
56. Pierre Reboul, « Les avatars de George Sand », *Revue des sciences humaines*, 1954, p. 364.
57. George Sand, *Correspondance*, VI, 816, note de Georges Lubin.
58. Georges Lubin, « Avez-vous lu *Isidora* ? Discussion », *Revue d'histoire littéraire de la France*, 4 (juillet-août 1976), p. 596.
59. Jean-Pierre Lacassagne, *ibid.*, p. 595.
60. *Isidora*, p. 172-173.
61. George Sand, *Lélia*, VII, 132.
62. *Isidora*, p. 367.

ISIDORA

NOTICE

A Paris, 1845. C'était une très belle personne, extraordinairement intelligente, et qui vint plusieurs fois *verser son cœur à mes pieds*, disait-elle. Je vis parfaitement qu'elle *posait* devant moi et ne pensait pas un mot de ce qu'elle disait la plupart du temps. Elle eût pu être ce qu'elle n'était pas. Aussi n'est-ce pas elle que j'ai dépeinte dans *Isidora*.

GEORGE SAND.

Nohant, 17 janvier 1853.

PREMIÈRE PARTIE

JOURNAL D'UN SOLITAIRE À PARIS

Il y a quelques années, un de nos amis partant pour la Suisse nous chargea de ranger des papiers qu'il avait laissés à la campagne, chez sa mère, bonne femme peu lettrée, qui nous donna le tout, pêle-mêle, à débrouiller. Beaucoup des manuscrits de Jacques Laurent avaient déjà servi à faire des sacs pour le raisin, et c'était peut-être la première fois qu'ils étaient bons à quelque chose. Cependant nous eûmes le bonheur de sauver deux cahiers qui nous parurent offrir quelque intérêt. Quoiqu'ils n'eussent rien de commun ensemble, en apparence, la même ficelle les attachait, et nous prîmes plaisir à mettre en regard les interruptions d'un de ces manuscrits avec les dates de l'autre ; ce qui nous conduisit à en faire un tout que nous livrons à votre discrétion bien connue, amis lecteurs. Nous avons désigné ces deux cahiers par les numéros 1 et 2, et par les titres de *Travail* et *Journal*. Le premier était un recueil de notes pour un ouvrage philosophique que Jacques Laurent n'a pas encore terminé et qu'il ne terminera peut-être jamais. Le second était un examen de son cœur et un récit de ses émotions qu'il se faisait sans doute à lui-même.

CAHIER N° 1. — TRAVAIL.

....
....
....
....

TROISIÈME QUESTION.

La femme est-elle ou n'est-elle pas l'égale de l'homme dans les desseins, dans la pensée de Dieu ?
La question est mal posée ainsi ; il faudrait dire : *L'espèce humaine est-elle composée de deux êtres différents, l'homme et la femme ?* Mais dans cette rédaction j'omets la pensée divine, et ce n'est pas mon intention. *En créant l'espèce humaine, Dieu a-t-il formé deux êtres distincts et séparés, l'homme et la femme ?*
Revoir cette rédaction dont je ne suis pas encore content.

CAHIER N° 2 — JOURNAL.

25 décembre 183*.

J'ai passé toute ma soirée d'hier à poser la première question, et je me suis couché sans l'avoir rédigée de manière à me contenter. Je me sentais lourd et mal disposé au travail. J'ai feuilleté mes livres pour me réveiller, j'ai trop réussi. Je me suis laissé aller au plaisir de comparer, d'analyser ; j'ai oublié la formule de mon sujet pour les détails. C'est parfois un grand ennemi de la méditation que la lecture.

26 décembre.

Je n'ai pu travailler hier soir, le vent a tourné au nord. Je me suis senti paralysé de corps et d'âme. Les nuits sont si froides et le bois coûte si cher ici ! Quand je devrais mourir à la peine, je ne sortirai pas de cette pauvre mansarde, je ne quitterai pas ce sombre et dur Paris sans avoir résolu la question qui m'occupe. Elle n'est pas de médiocre importance dans mon livre : régler *les rapports de l'homme et de la femme dans la société, dans la famille, dans la politique* ! Je n'irai pas plus avant dans mon traité de philosophie, que je n'aie trouvé une solution aux divers problèmes que cette formule soulève en moi. J'admire comme ils l'ont cavalièrement et lestement tranchée tous ces auteurs, tous ces utopistes, tous ces métaphysiciens, tous ces poètes ! Ils ont toujours placé la femme trop haut ou trop bas. Il semble qu'ils aient tous été trop jeunes ou trop vieux. Mais moi-même, ne suis-je pas trop jeune ? Vingt-cinq ans, et vingt-cinq ans de chasteté presque absolue, c'est-à-dire d'inexpérience presque complète ! Il y en a qui penseraient que cela m'a rendu trop vieux. Il est des moments où, dans l'horreur de mon isolement, je suis épouvanté moi-même de mon peu de lumière sur la question. Je crains d'être au-dessous de ma tâche ; et si je m'en croyais, je sauterais ce chapitre, sauf à le faire, et à l'intercaler en son lieu, quand mon ouvrage sera terminé à ma satisfaction sur tous les autres points.

26 décembre au soir.

L'idée de ce matin n'était, je crois, pas mauvaise. J'essaierai de passer outre, afin de m'éclairer sur ce point par la lumière que je porterai dans toutes les parties de mon œuvre et que j'en ferai jaillir. Je me sens un peu ranimé par cette espérance... J'ignore si c'est le froid, le ciel noir, et le vent qui siffle sur ces toits, qui tiennent mon âme captive ; mais il y a des moments où je n'ai plus confiance en moi-même, et où je me demande sérieusement si je ne ferais pas mieux de planter des choux que de m'égarer ainsi dans les âpres sentiers de la métaphysique.

CAHIER N° 1. — TRAVAIL.

QUATRIÈME QUESTION.

Quelle sera l'éducation des enfants dans ma république idéale ?

C'est-à-dire d'abord *à qui sera confiée l'éducation des enfants ?*

RÉPONSE.

A l'État. — La société est la mère abstraite et réelle de tout citoyen, depuis l'heure de sa naissance jusqu'à celle de sa mort. Elle lui doit... (Voir pour plus ample exposé, mon cahier n° 3, où ce principe est suffisamment développé.)

INSTITUTION.

La première enfance de l'homme sera exclusivement confiée à la direction de la femme.

QUESTION.

Jusqu'à quel âge ?

RÉPONSE.

Jusqu'à l'âge de cinq ans.
C'est trop peu. Un enfant de cinq ans serait trop cruellement privé des soins maternels.
Jusqu'à l'âge de dix ans.
C'est trop. — L'éducation intellectuelle peut et doit commencer beaucoup plus tôt.

INSTITUTION

A partir de l'âge de cinq ans, jusqu'à celui de dix ans, l'éducation des mâles sera alternativement confiée à des femmes et à des hommes.

QUESTION.

Quelle sera la part d'éducation attribuée à la femme ?
Je l'ai trop exclusivement supposée purement hygiénique. J'ai semblé admettre, dans le titre précédent, que l'homme seul pouvait donner l'enseignement scientifique. La femme ne doit-elle pas préparer, même avant l'âge de cinq ans, cette jeune intelligence à recevoir les hauts enseignements de la science, de la morale et de l'art ?

Cela me fait aussi songer que j'établis *a priori* une distinction arbitraire entre l'éducation des mâles et celle des femelles, presque dès le berceau. Il faudrait commencer par définir la différence intellectuelle et morale de l'homme et de la femme...

CAHIER N° 2. — JOURNAL.

27 décembre.

Cette difficulté m'a arrêté court ; je vois que j'étais fou de vouloir passer à la quatrième question avant d'avoir résolu la troisième. Jamais je ne fus si pauvre logicien. Je gage que le froid me rend malade, et que je ne ferai rien qui vaille tant que soufflera ce vent du nord !

Lugubre Paris ! mortel ennemi du pauvre et du solitaire ! tout ici est privation et souffrance pour quiconque n'a pas beaucoup d'argent. Je n'avais pas prévu cela, je n'avais pas voulu y croire, ou plutôt je ne pouvais pas y songer, alors que l'ardeur du travail, la soif des lumières et le besoin impérieux de *nager* dans les livres me poussaient vers toi, Paris ingrat, du fond de ma vallée champêtre ! A Paris, me disais-je, je serai à la source de toutes les connaissances ; au lieu d'aller emprunter péniblement un pauvre ouvrage à un ami érudit par hasard, ou à quelque bibliothèque de province, ouvrage qu'il faut rendre pour en avoir un autre, et qu'il faut copier aux trois quarts si l'on veut ensuite se reporter au texte, j'aurai le puits de la science toujours ouvert ; que dis-je, le fleuve de la connaissance toujours coulant à pleins bords et à flots pressés autour de moi ! Ici je suis comme l'alouette qui, au temps de la sécheresse, cherche une goutte de rosée sur la feuille du buisson, et ne l'y trouve point. Là-bas, je serai comme l'alcyon voguant en pleine mer. Et puis, chez nous, on ne pense pas, on ne cherche pas, on ne vit point par l'esprit. On est trop heureux quand on a seulement le nécessaire à la campagne ! On s'endort dans un tranquille bien-être, on jouit de la nature par tous les pores ; on ne songe pas au malheur d'autrui. Le paysan lui-même, le pauvre qui travaille aux champs, au grand air, ne s'inquiète pas de la misère et du désespoir qui rongent la population laborieuse des villes. Il n'y croit pas ; il calcule le salaire, il voit qu'en fait c'est lui qui gagne le moins, et il ne tient pas compte du dénuement de celui qui est forcé de dépenser davantage pour sa consommation. Ah ! s'il voyait, comme je les vois à présent, ces horribles rues noires de boue, où se reflète la lanterne rougeâtre de l'échoppe ! S'il entendait siffler ce vent qui, chez nous, plane harmonieusement sur les bois et sur les bruyères, mais qui jure, crie, insulte et menace ici, en se resserrant dans les angles d'un labyrinthe maudit, et en se glissant par toutes les fissures de ces toits glacés ! S'il sentait tomber sur ses épaules, sur son âme, ce manteau de plomb que le froid, la solitude et le découragement nous collent sur les os !

Le bonheur, dit-on, rend égoïste... Hélas ! ce bonheur réservé aux uns au détriment des autres doit rendre tel, en effet. O mon Dieu ! le bonheur partagé, celui qu'on trouverait en travaillant au bonheur de ses semblables, rendrait l'homme aussi grand que sa destinée sur la terre, aussi bon que vous-même !

Je fuyais les heureux, craignant de ne trouver en eux que des égoïstes, et je venais chercher ici des malheureux intelligents. Il y en a sans doute ; mais mon indigence ou ma timidité m'ont empêché de les rencontrer. J'ai trouvé mes pareils abrutis ou dépravés par le malheur. L'effroi m'a saisi et je me suis retiré seul pour ne pas voir le mal et pour rêver le bien ; mais chercher seul, c'est affreux, c'est peut-être insensé.

Je croyais acquérir ici tout au moins l'expérience. Je connaîtrai les hommes, me disais-je, et les femmes aussi. Chez nous (en province), il n'y a guère qu'un seul type à observer dans les deux sexes : le type de la prudence, autrement dit de la poltronnerie. Dans la métropole du monde je verrai, je pourrai étudier tous les types. J'oubliais que moi aussi, provincial, je suis un poltron, et je n'ai osé aborder personne.

Je puis cependant me faire une idée de l'homme, en m'examinant, en interrogeant mes instincts, mes facultés, mes aspirations. Si je suis classé dans un de ces types qui végètent sans se fondre avec les autres, du moins j'ai en moi des moyens de contact avec ceux de mon espèce. Mais la femme ! où en prendrai-je la notion psychologique ? Qui me révélera cet être mystérieux qui se présente à l'homme comme maître ou comme esclave, toujours en lutte contre lui ? Et je suis assez insensé pour demander si c'est un être différent de l'homme !...

CAHIER N° 1. — TRAVAIL.

TROISIÈME QUESTION.

Quelles sont les facultés et les appétits qui différencient l'homme et la femme dans l'ordre de la création ?

On est convenu de dire que, dans les hautes études, dans la métaphysique comme dans les sciences exactes, la femme a moins de capacités que l'homme. Ce n'est point l'avis de Bayle, et c'est un point très controversable. Qu'en savons-nous ? Leur éducation les détourne des études sérieuses, nos préjugés les leur interdisent... Ajoutez que nous avons des exemples du contraire.

Quelle logique divine aurait donc présidé à la création d'un être si nécessaire à l'homme, si capable de le gouverner, et pourtant inférieur à lui ?

Il y aurait donc des âmes femelles et des âmes mâles ? Mais cette différence constituerait-elle l'inégalité ? On est convenu de les regarder comme supérieures dans l'ordre des sentiments, et je croirais volontiers qu'elles le sont, ne fût-ce que par le sentiment maternel... O ma mère !...

S'il est vrai qu'elles aient moins d'intelligence et plus de cœur, où est l'infériorité de leur nature ? J'ai démontré cela en traitant de la nature de l'homme, deuxième question.

CAHIER N° 2. — JOURNAL.

27, minuit.

Quel temps à porter la mort dans l'âme !... Encore ce soir, j'ai trop lu et trop peu travaillé.

Héloïse, sainte Thérèse, divines figures, créations sublimes du grand artiste de l'univers !

Des sons lamentables assiègent mon oreille. Ce n'est pas une voix humaine, ce grognement sourd. Est-ce le bruit d'un métier ?

J'ai ouvert ma fenêtre, malgré le froid, pour essayer de comprendre ce bruit désagréable qui m'eût empêché de dormir si je n'en avais découvert la cause.

J'ai entendu plus distinctement : c'est le son d'un instrument qu'on appelle, je crois, une contrebasse.

La voix plus claire des violons m'a expliqué que cela faisait partie d'un orchestre jouant des contredanses. Il y a des gens qui dansent par un temps pareil ! quand la mort semble planer sur cette ville funeste !

Comme elle est triste, entendue ainsi à distance, et par rafales interrompues, leur musique de fête !

Cette basse, dont la vibration pénètre seule, par le courant d'air de ma cheminée, et qui répète à satiété sa lugubre ritournelle, ressemble au gémissement d'une sorcière volant sur mon toit pour rejoindre le sabbat.

Je m'imagine que ce sont des spectres qui dansent ainsi au milieu d'une nuit si noire et si effrayante !

30 décembre.

Mon travail n'avance pas ; l'isolement me tue. Si j'étais sain de corps et d'esprit, la foi reviendrait. La confiance en Dieu, l'amour de Dieu qui a fait tant de grands saints et de grands esprits, et que ce siècle malheureux ne connaît plus, viendrait jeter la lumière de la synthèse sur les diverses parties de mon œuvre. Oui, je dirais à Dieu : Tu es souverainement juste, souverainement bon ; tu n'as pas pu asservir, dans tes sublimes desseins, l'esclave au maître, le pauvre au riche, le faible au fort, la femme à l'homme par conséquent ; et je saurais alors établir ces différences qui marquent les sexes de signes divins, et qui les revêtent de fonctions diverses sans élever l'un au-dessus de l'autre dans l'ordre des êtres humains. Mais je ne sais point expliquer ces différences, et je ne suis assez lié avec aucune femme pour qu'elle puisse m'ouvrir son âme et m'éclairer sur ses véritables aptitudes. Étudierai-je la femme seulement dans l'histoire ? Mais l'histoire n'a enregistré que de puissantes exceptions. Le rôle de la femme du peuple, de la masse féminine, n'a pas d'initiative intellectuelle dans l'histoire.

Depuis huit jours que la boue et le *froid noir* me retiennent prisonnier, je n'ai pas vu d'autre visage féminin que celui de ma vieille portière : serait-ce là une femme ? Ce monstre me fait horreur. C'est l'emblème de la cupidité, et pourtant elle est d'une probité à toute épreuve ; mais c'est la probité parcimonieuse des âmes de glace, c'est le respect du tien et du mien poussé jusqu'à la frénésie, jusqu'à l'extravagance.

Être réduit par la pauvreté à regarder comme un bienfaiteur un être semblable, parce qu'il ne vous prend rien de ce qui n'est pas son salaire !

Mais quelle âpreté au salaire résulte de ce respect fanatique pour la propriété ! Elle ne me volerait pas un centime, mais elle ne ferait point trois pas pour moi sans me les taxer parcimonieusement. Avec quelle cruauté elle retient les nippes des malheureux qui habitent les mansardes voisines lorsqu'ils ne peuvent payer leur terme ! Je sais que cette cruauté lui est commandée ; mais quels sont donc alors les bourreaux qui font payer le loyer de ces demeures maudites ? et n'est-il pas honteux qu'on arme ainsi le frère contre le frère, le pauvre contre le pauvre ! Eh quoi ! les riches qui ont tout, qui paient si cher aux étages inférieurs, dans ces riches quartiers, ne suffisent pas pour le revenu de la maison, et on ne peut faire grâce au prolétaire qui n'a rien, de cinquante francs par an ! On ne peut pas même le chasser sans le dépouiller !

Ce matin on a saisi les haillons d'une pauvre ouvrière qui s'enfuyait : un châle qui ne vaut pas cinq francs, une robe qui n'en vaut pas trois ! Le froid qui règne n'a pas attendri les exécuteurs. J'ai racheté les haillons de l'infortunée. Mais de quoi sert que quelques êtres sensés aient l'intention de réparer tant de crimes ? Ceux-là sont pauvres. Demain, si on fait déloger le vieillard qui demeure à côté de ma cellule, je ne pourrai pas l'assister. Après-demain, si je n'ai pas trouvé de quoi payer mon propre loyer, on me chassera moi-même, et on retiendra mon manteau.

Ce matin, la portière qui range ma chambre m'a dit en m'appelant à la fenêtre :

« Voici Madame qui se promène dans son jardin. »

Ce jardin, vaste et magnifique, est séparé par un mur du petit jardin situé au-dessous de moi. Les deux maisons, les deux jardins sont la même propriété, et, de la hauteur où je suis logé, je plonge dans l'une comme dans l'autre. J'ai regardé machinalement. J'ai vu une femme qui m'a paru fort belle, quoique très pâle et un peu grasse. Elle traversait lentement une allée sablée pour se rendre à une serre dont j'aperçois les fleurs brillantes, quand un rayon de soleil vient à donner sur le vitrage.

Encore irrité de ce qui venait de se passer, j'ai demandé à la sorcière si sa maîtresse était aussi méchante qu'elle.

« Ma maîtresse ? a-t-elle répondu d'un air hautain, elle ne l'est pas : je ne connais que Monsieur, je ne sers que *Monsieur*.

— Alors, c'est Monsieur qui est impitoyable ?

— Monsieur ne se mêle de rien ; c'est son premier locataire qui commande ici, heureusement pour lui ; car monsieur n'entend rien à ses affaires et achèverait de se *faire dévorer*. »

Voilà un homme en grand danger, en effet, si mon voisin lui fait banqueroute de vingt francs !

CAHIER Nº 1. — TRAVAIL.

... Je ne puis nier ces différences, bien que je ne les aperçoive pas et qu'il me soit impossible de les constater par ma propre expérience.

L'être moral de la femme diffère du nôtre, à coup sûr, autant que son être physique. Dans le seul fait d'avoir accepté si longtemps et si aveuglément son état de contrainte et d'infériorité sociale, il y a quelque chose de capital qui suppose plus de douceur ou plus de timidité qu'il n'y en a chez l'homme.

Cependant le pauvre aussi, le travailleur sans capital, qui certes n'est pas généralement faible et pusillanime, accepte depuis le commencement des sociétés la domination du riche et du puissant. C'est qu'il n'a pas reçu, plus que la femme, par l'éducation, l'initiation à l'égalité...

Il y a de mystérieuses et profondes affinités entre ces deux êtres, le pauvre et la femme.

La femme est pauvre sous le régime d'une communauté dont son mari est chef ; le pauvre est femme, puisque l'enseignement, le développement, est refusé à son intelligence, et que le cœur seul vit en lui.

Examinons ces rapports profonds et délicats qui me frappent, et qui peuvent me conduire à une solution.

Les voies incidentes sont parfois les plus directes. Recherchons d'abord.

CAHIER N° 2. — JOURNAL.

29.

J'ai été interrompu ce matin par une scène douloureuse et que j'avais trop prévue. Le vieillard, dont une cloison me sépare, a été sommé, pour la dernière fois, de payer son terme arriéré de deux mois, et la voix discordante de la portière m'a tiré de mes rêveries pour me rejeter dans la vie d'émotion. Ce vieux malheureux demandait grâce.

Il a des neveux assez riches, dit-il, et qui ne le négligeront pas toujours. Il leur a écrit. Ils sont en province, bien loin ; mais ils répondront, et il paiera si on lui en donne le temps.

Sans avoir de neveux, je suis dans une position analogue. Le notaire qui touche mon mince revenu de campagne m'oublie et me néglige. Il ne le ferait pas si j'étais un meilleur client, si j'avais trente mille livres de rente. Heureusement pour moi, mon loyer n'est pas arriéré ; mais je me trouve dans l'impossibilité maintenant de payer celui de mon vieux voisin. J'ai offert d'être sa caution ; mais la malheureuse portière, cette triste et laide madame Germain, que la nécessité condamne à faire de sa servitude une tyrannie, a jeté un regard de pitié sur mes pauvres meubles, dont maintes fois elle a dressé l'inventaire dans sa pensée ; et d'une voix âpre, avec un regard où la défiance semblait chercher à étouffer un reste de pitié, elle m'a répondu que je n'avais pas un mobilier à répondre pour deux, et qu'il lui était interdit d'accepter la caution des locataires du cinquième les uns pour les autres. Alors, touché de la situation de mon voisin, j'ai écrit au propriétaire un billet dont j'attache ici le brouillon avec une épingle.

« Madame,

« Il y a dans votre maison de la rue de ***, n° 4, un pauvre homme qui paie quatre-vingts francs de loyer, et qu'on va mettre dehors parce que son paiement est arriéré de deux mois. Vous êtes riche, soyez pitoyable ; ne permettez pas qu'on jette sur le pavé un homme de soixante-quinze ans, presque aveugle, qui ne peut plus travailler, et qui ne peut même pas être admis à un hospice de vieillards, faute d'argent et de recommandation. Ou prenez-le sous votre protection (les riches ont toujours de l'influence), et faites-le admettre à l'hôpital, ou accordez-lui son logement. Si vous ne voulez pas, acceptez ma caution pour lui. Je ne suis pas riche non plus, mais je suis assuré de pouvoir acquitter sa dette dans quelque temps. Je suis un honnête homme ; ayez un peu de confiance, si ce n'est un peu de générosité.

« JACQUES LAURENT. »

CAHIER N° 1. — TRAVAIL.

Un être qui ne vivrait que par le sentiment, et chez qui l'intelligence serait totalement inculte, totalement inactive, serait, à coup sûr, un être incomplet. Beaucoup de femmes sont probablement dans ce cas. Mais n'est-il pas beaucoup d'hommes en qui le travail du cerveau a totalement atrophié les facultés aimantes ? La plupart des savants, ou seulement des hommes adonnés à des professions purement lucratives, à la chicane, à la politique ambitieuse, beaucoup d'artistes, de gens de lettres, ne sont-ils pas dans le même cas ? Ce sont des êtres incomplets, et, j'ose le dire, le plus fâcheusement, le plus dangereusement incomplets de tous ! Or donc, l'induction des pédants, qui concluent de l'inaction sociale apparente de la femme, qu'elle est d'une nature inférieure, est d'un raisonnement...

CAHIER N° 2. — JOURNAL.

30 décembre.

Absurde ! Évidemment je l'ai été. Ces valets m'auront pris pour un galant de mauvaise compagnie, qui venait risquer quelque insolente déclaration d'amour à la dame du logis. Vraiment, cela me

va bien ! Mais je n'en ai pas moins été d'une simplicité extrême avec mes bonnes intentions. La dame
m'a paru belle quand je l'ai aperçue dans son
jardin. Son mari est jaloux, je vois ce que c'est... Ou
peut-être ce propriétaire n'est-il pas un mari, mais
un frère. Le concierge souriait dédaigneusement
quand je lui demandais à parler à madame la
comtesse ; et cette soubrette qui m'a repoussé de
l'antichambre avec de grands airs de prude... Il y
avait un air de mystère dans ce pavillon entre cour
et jardin, dont j'ai à peine eu le temps de contem-
pler le péristyle, quelque chose de noble et de triste
comme serait l'asile d'une âme souffrante et fière...
Je ne sais pourquoi je m'imagine que la femme qui
demeure là n'est pas complice des crimes de la
richesse. Illusion peut-être ! N'importe, un vague
instinct me pousse à mettre sous sa protection le
malheureux vieillard que je ne puis sauver moi-
même.

31 décembre.

Je ne sais pas si j'ai fait une nouvelle maladresse,
mais j'ai risqué hier un grand moyen. Au moment
où j'allais fermer ma fenêtre, par laquelle entrait un
doux rayon de soleil, le seul qui ait paru depuis
quatre mortels jours, j'ai jeté les yeux sur le jardin
voisin et j'y ai vu mon *innominata*. Avec son manteau de velours noir doublé d'hermine, elle m'a
paru encore plus belle que la première fois. Elle
marchait lentement dans l'allée, abritée du vent
d'est par le mur qui sépare les deux jardins. Elle
était seule avec un charmant lévrier gris de perle.
Alors j'ai fait un coup de tête ! J'ai pris mon billet,

je l'ai attaché à une bûchette de mon poêle et je l'ai
adroitement lancé, ou plutôt laissé tomber aux
pieds de la dame, car ma fenêtre est la dernière de
la maison, de ce côté. Elle a relevé la tête sans
marquer trop d'effroi ni d'étonnement. Heureusement j'avais eu la présence d'esprit de me retirer
avant que mon projectile fût arrivé à terre, et j'observais, caché derrière mon rideau. La dame a
tourné le dos sans daigner ramasser le billet. Certainement elle à déjà reçu des missives d'amour
envoyées furtivement par tous les moyens possibles,
et elle a cru savoir ce que pouvait contenir la
mienne. Elle y a donc donné cette marque de
mépris de la laisser par terre. Mais heureusement
son chien a été moins collet monté ; il a ramassé
mon placet et il l'a porté à sa maîtresse en remuant
la queue d'un air de triomphe. On eût dit qu'il avait
le sentiment de faire une bonne action, le pauvre
animal ! La dame ne s'est pas laissé attendrir.
« Laissez cela, Fly, lui a-t-elle dit d'une voix douce,
mais dont je n'ai rien perdu. Laissez-moi tranquille ! » Puis elle a disparu au bout de l'allée, sous
des arbres verts. Mais le chien l'y a suivie, tenant
toujours mon envoi par un bout du bâton, avec
beaucoup d'adresse et de propreté. La curiosité
aura peut-être décidé la dame à examiner mon style,
quand elle aura pu se satisfaire sans déroger à la
prudence. Quand ce ne serait que pour rire d'un
sot amoureux, plaisir dont les femmes, dit-on, sont
friandes ! Espérons ! Pourtant je ne vois rien venir
depuis hier. Mon pauvre voisin ! je ne te laisserai
pas chasser, quand même je devrais mettre mon
Origène ou mon *Bayle* en gage.

Mais aussi quelle idée saugrenue m'a donc passé

par la tête, d'écrire à la femme plutôt qu'au mari ? Je l'ai fait sans réflexion, sans me rappeler que le mari est le chef de la communauté, c'est-à-dire le maître, et que la femme n'a ni le droit, ni le pouvoir de faire l'aumône. Eh ! c'est précisément cela qui m'aura poussé, sans que j'en aie eu conscience, à faire appel au bon cœur de la femme !

CAHIER N° 1. — TRAVAIL.

L'éducation pourrait amener de tels résultats, que les aptitudes de l'un et de l'autre sexe fussent complètement modifiées.

CAHIER N° 2. — JOURNAL.

J'ai été interrompu par l'arrivée d'un joli enfant de douze ou quatorze ans, équipé en jockey.

« Monsieur, m'a-t-il dit, je viens de la part de *Madame* pour vous dire bien des choses.

— Bien des choses ? Assieds-toi là, mon enfant, et parle.

— Oh ! je ne me permettrai pas de m'asseoir ! Ça ne se doit pas.

— Tu te trompes ; tu es ici chez ton égal, car je suis domestique aussi.

— Ah ! ah ! vous êtes domestique ? De qui donc ?

— De moi-même. »

L'enfant s'est mis à rire, et, s'asseyant près du feu :

« Tenez, monsieur, m'a-t-il dit en exhibant une lettre cachetée à mon adresse, voilà ce que c'est. »

J'ai ouvert et j'ai trouvé un billet de banque de mille francs.

« Qu'est-ce que cela, mon ami ? et que veut-on que j'en fasse ?

— Monsieur, c'est de l'argent pour ces malheureux locataires du cinquième, que Madame vous charge de secourir quand ils ne pourront pas payer.

— Ainsi, Madame me prend pour son aumônier ? C'est très beau de sa part ; mais j'aime beaucoup mieux qu'elle donne des ordres pour qu'on laisse ces malheureux tranquilles.

— Oh ! ça ne se fait pas comme vous croyez ! Madame ne donne pas d'ordres dans la maison. Ça ne la regarde pas du tout. Monsieur le comte lui-même n'a rien à voir dans les affaires du régisseur. D'ailleurs, Madame craint tant d'avoir l'air de se mêler de quelque chose, qu'elle vous prie de ne pas parler du tout de ce qu'elle fait pour vos voisins.

— Elle veut que sa main gauche ignore ce que fait sa main droite ? Tu lui diras de ma part qu'elle est grande et bonne.

— Oh ! pour ça, c'est vrai. C'est une bonne maîtresse, celle-là. Elle ne se fâche jamais, et elle donne beaucoup. Mais savez-vous, monsieur, que c'est moi qui suis cause que Fly n'a pas mangé votre billet ?

— En vérité ?

— Vrai, d'honneur ! Madame était rentrée pour recevoir une visite. Elle n'avait pas fait attention que le chien tenait quelque chose dans sa gueule. Moi, en jouant avec lui, j'ai vu qu'il était en colère de ce qu'on ne lui faisait pas de compliment ; car lorsqu'il rapporte quelque chose, il n'aime pas qu'on refuse de le prendre. Il commençait donc à ronger le bois et à déchirer le papier. Alors je le lui ai ôté ; j'ai vu ce que c'était, et je l'ai porté à

Madame aussitôt qu'elle a été seule. Elle ne voulait pas le prendre.

" Mets cela au feu, qu'elle disait, c'est quelque sottise.

— Non, non, Madame, *c'est des* malheureux.

— Tu l'as donc lu ?

— Dame ! Madame, que j'ait fait, Fly l'avait décacheté, et ça traînait.

— Tu as bien fait, petit, qu'elle m'a dit après qu'elle a eu regardé votre lettre, et pour te récompenser, c'est toi que je charge d'aller aux informations. Si l'histoire est vraie, c'est toi qui porteras ma réponse et qui expliqueras mes intentions ; et puis, attends, qu'elle m'a dit encore. Tu diras à ce M. Jacques Laurent que je le remercie de sa lettre, mais qu'il aurait bien pu l'envoyer plus raisonnablement que par sa fenêtre. " »

Là-dessus, j'ai expliqué au jockey l'inutilité de ma démarche d'hier et l'urgence de la position. Il m'a promis d'en rendre compte.

J'ai bien vite porté un raisonnable secours au vieillard. En apprenant la générosité de sa bienfaitrice, il a été touché jusqu'aux larmes.

« Est-ce possible, s'est-il écrié, qu'une âme si tendre et si délicate soit calomniée par de vils serviteurs !

— Comment cela ?

— Il n'y a pas d'infamies que cette ignoble portière n'ait voulu me débiter sur son compte ; mais je ne veux pas même les répéter. Je ne pourrais d'ailleurs plus m'en souvenir. »

CAHIER N° 1. — TRAVAIL.

La bonté des femmes est immense. D'où vient donc que la bonté n'a pas de droits à l'action sociale en législation et en politique ?

CAHIER N° 2. — JOURNAL.

1er janvier.

Il est étrange que je ne puisse plus travailler. Je suis tout ému depuis quelques jours, et je rêve au lieu de méditer. Je croyais qu'un temps plus doux, un ciel plus clair, me rendraient plus laborieux et plus lucide. Je ne suis plus abattu comme je l'étais : au contraire, je me sens un peu agité ; mais la plume me tombe des mains quand je veux généraliser les émotions de mon cœur. O puissance de la douceur et de la bonté, que tu es pénétrante ! Oui, c'est toi, et non l'intelligence, qui devrais gouverner le monde !

Je ne m'étais jamais aperçu combien ce jardin, qui est sous ma fenêtre, est joli. Un jardin clos de grands murs et flétri par l'hiver ne me paraissait susceptible d'aucun charme, lorsque au milieu de l'automne j'ai quitté les vastes horizons bleus de la végétation empourprée de ma vallée. Cependant il y a de la poésie dans ces retraites bocagères que le riche sait créer au sein du tumulte des villes, je le reconnais aujourd'hui. Les plantes ici ont un aspect et des caractères propres au terrain chaud et à l'air rare où elles végètent, comme les enfants des riches élevés dans cette atmosphère lourde avec une nourriture substantielle, ont aussi une physionomie qui leur est particulière. J'ai été déjà frappé de ce rapport. Les arbres des jardins de Paris acquièrent vite un développement extrême. Ils poussent en hauteur, ils ont beaucoup de feuillage, mais la tige est parfois d'une ténuité effrayante. Leur santé est plus apparente que réelle. Un coup de vent d'est les dessèche au milieu de leur splendeur, et, en tout cas, ils arrivent vite à la décrépitude. Il en est de même des hommes nourris et enfermés dans cette vaste cité. Je ne parle pas de ceux dont la misère étouffe le développement. Hélas ! c'est le grand nombre ; mais ceux-là n'ont de commun avec les plantes que la souffrance de la captivité. Les soins leur manquent, et ils arrivent rarement à cette trompeuse beauté qui est chez l'enfant du riche, comme dans la plante de son jardin, le résultat d'une culture exagérée et d'une éclosion forcée. Ces enfants-là sont généralement beaux, leur pâleur est intelligente, leur langueur gracieuse. Ils sont, à dix ans, plus grands et plus hardis que nos paysans ne le sont à quinze ; mais ils sont plus grêles, plus sujets aux maladies inflammatoires, et la vieillesse se fait vite pour eux comme la nuit sur les dômes élevés et sur les cimes altières des beaux arbres de cette Babylone.

Il y a donc ici partout, et dans les jardins particulièrement, une apparence de vie qui étonne et dont l'excès effraie l'imagination. Nulle part au monde il n'y a, je crois, de plus belles fleurs. Les terrains sont si bien engraissés et abrités par tant de murailles, l'air est chargé de tant de vapeurs, que la gelée les atteint peu. Les jardiniers excellent dans l'art de disposer les massifs. Ce n'est plus la symétrie de nos pères, ce n'est pas le désordre et le hasard des accidents naturels ; c'est quelque chose entre les deux, une propreté extrême jointe à un laisser-aller charmant. On sait tirer parti du moindre coin, et ménager une promenade facile dans les allées sinueuses sur un espace de cinquante pieds carrés.

Celui de la maison que j'habite est fort négligé et comme abandonné depuis l'été. On fait de grandes réparations au rez-de-chaussée ; on change, je crois, la disposition de l'appartement qui commande à ce jardin. Les travaux sont interrompus en ce moment-ci, j'ignore pourquoi. Mais je n'entends plus le bruit des ouvriers, et le jardin est continuellement désert. Je le regarde souvent, et j'y découvre mille secrètes beautés que je ne soupçonnais pas, quelque chose de mystérieux, une solennité vraiment triste et douce, quand la vapeur blanche du soir nage autour de ces troncs noirs et lisses que la mousse n'insulte jamais. Les herbes sauvages, l'euphorbe, l'héliotrope d'hiver, et jusqu'au chardon rustique, ont déjà envahi les plates-bandes. Le feuillage écarlate du sumac lutte contre les frimas ; l'arbuste chargé de perles blanches et dépouillé de feuilles ressemble à un bijou de joaillerie, et la rose du Bengale s'entrouvre gaiement et sans crainte au milieu des morsures du verglas.

Ce matin j'ai remarqué qu'on avait enlevé les portes du rez-de-chaussée, et qu'on pouvait traverser ce local en décombres pour arriver au jardin. Je l'ai fait machinalement, et j'ai pénétré dans cet Éden solitaire où les bruits des rues voisines arrivent à peine. Je pensais à ces vers de Boileau sur les aises du riche citadin :

Il peut, dans son jardin tout peuplé d'arbres verts
Retrouver les étés au milieu des hivers,

Et foulant le parfum de ses plantes chéries,
Aller entretenir ses douces rêveries.

Et j'ajoutais en souriant sans jalousie :

Mais moi, grâce au destin, qui n'ai ni feu ni lieu,
Je me loge où je puis et comme il plaît à Dieu.

Je venais de faire le tour de cet enclos, non sans effaroucher les merles qui pullulent dans les jardins de Paris et qui se levaient en foule à mon approche, lorsque j'ai trouvé, le long du mur mitoyen, une petite porte ouverte, donnant sur le grand jardin de ma riche voisine. Il y avait là une brouette en travers et tout à côté un jardinier qui achevait de charger pour venir jeter dans l'enclos abandonné les cailloux et les branches mortes de l'autre jardin. Je suis entré en conversation avec cet homme sur la taille des gazons, puis sur celle des arbres, puis sur l'art de greffer. Leurs procédés ici sont d'une hardiesse rare. Ils taillent, plantent et sèment presque en toute saison. Ce jardinier aimait à se faire écouter ; mon attention lui plaisait ; il a fait un peu le pédant, et l'entretien s'est prolongé, je ne sais comment, jusqu'à ce que mon petit ami le jockey soit venu s'en mêler. Le beau lévrier Fly s'est mis aussi de la partie ; il est entré curieusement dans le jardin de mon côté, et après m'avoir flairé avec méfiance, il a consenti à rapporter des branches que je lui jetais. Je sentais vaguement que *Madame* n'était pas loin, et j'avais grande envie de la voir. Mais je n'osais dépasser le seuil de mon enclos, bien que l'enfant m'invitât à jeter un coup d'œil sur le beau jardin et à m'avancer jusque dans l'allée. Le drôle me faisait les honneurs de ce paradis pour me remercier apparemment de lui avoir fait ceux d'une chaise dans ma mansarde. Il m'a pris en amitié pour cela, et, après tout, c'est un enfant intelligent et bon, que la servitude n'a pas encore dépravé ; il a été plus sensible, je le vois, à un témoignage de fraternité, qu'il ne l'eût été peut-être à une gratification que je ne pouvais lui donner.

« Entrez donc, monsieur Jacques, me disait-il, Madame ne grondera pas ; vous verrez comme c'est beau ici, et comme Fly court vite dans la grande allée... »

Tout à coup *Madame* sort d'un sentier ombragé et se présente à dix pas devant moi. L'enfant court à elle avec la confiance qu'un fils aurait témoignée à ma mère. Cela m'a touché.

« Tenez, Madame, criait-il, c'est M. Jacques Laurent qui n'ose pas entrer pour voir le jardin. N'est-ce pas que vous voulez bien ? »

Madame approche avec une gracieuse lenteur.

« Il paraît que Monsieur est un amateur, ajoute le jardinier. Il entend fameusement l'horticulture. »

Le brave homme se contentait de peu. Il avait pris ma patience à l'écouter pour une grande preuve de savoir.

« Monsieur Laurent, dit la dame, je suis fort aise de vous rencontrer. Entrez, je vous en prie, et promenez-vous tant que vous voudrez.

— Madame, vous êtes mille fois trop bonne ; mais je n'ai pas eu l'indiscrétion d'en exprimer le désir. C'est cet enfant qui, par bon cœur, me l'a proposé.

— Mon Dieu, reprend-elle, un grand jardin à Paris est une chose agréable et précieuse. J'ai appris que vous sortiez rarement de votre appartement, et que vous passiez une partie des nuits à travailler. Je dispose de cet endroit-ci, je serai charmée que vous y trouviez un peu d'air et d'espace. Profitez de l'occasion, vous ajouterez à la gratitude que je vous dois déjà. »

Et, me saluant avec un charme indicible, elle s'est éloignée.

Je me suis alors promené par tout le jardin. Elle n'y était plus. Le jockey et le jardinier m'ont conduit dans la serre. C'est un lieu de délices, quoique dans un fort petit local. Une fontaine de marbre blanc est au milieu, tout ombragée des grandes feuilles du bananier, toute tapissée des festons charmants des plantes grimpantes. Une douce chaleur y règne, des oiseaux exotiques babillent dans une cage dorée, et de mignons rouges-gorges se sont volontairement installés dans ce boudoir parfumé, dont ils ne cherchent pas à sortir quand on ouvre les vitraux. Quel goût et quelle coquetterie dans l'arrangement de ces purs camélias et de ces cactus étincelants ! Quels mimosas splendides, quels gardénias embaumés ! Le jardinier avait raison d'être fier. Ces gradins de plantes dont on n'aperçoit que les fleurs, et qui forment des allées, cette voûte de guirlandes sous un dôme de cristal, ces jolies corbeilles suspendues, d'où pendent des plantes étranges d'une végétation aérienne, tout cela est ravissant. Il y avait un coussin de velours bleu céleste sur le banc de marbre blanc, à côté de la cuve que traverse un filet d'eau murmurante. Un livre était posé sur le bord de cette cuve. Je n'ai pas osé y toucher ; mais je me suis penché de côté pour regarder le titre : c'était le *Contrat social*.

« C'est le livre de Madame, a dit l'enfant ; elle l'a oublié. C'est là sa place, c'est là qu'elle vient lire toute seule, bien longtemps, tous les jours.

— C'est peut-être ma présence qui l'en chasse ; je vais me retirer. »

Et j'allais le faire, lorsque, pour la seconde fois, elle m'est apparue. Le jardinier s'est éloigné par respect, le jockey pour courir après Fly, et la conversation s'est engagée entre elle et moi, si naturellement, si facilement, qu'on eût dit que nous étions d'anciennes connaissances. Les manières et le langage de cette femme sont d'une élégance et en même temps d'une simplicité incomparables. Elle doit être d'une naissance illustre : l'antique majesté patricienne réside sur son front, et la noblesse de ses manières atteste les habitudes du plus grand monde. Du moins de ce grand monde d'autrefois, où l'on dit que l'extrême bon ton était l'aisance, la bienveillance, et le don de mettre les autres à l'aise. Pourtant je n'y étais pas complètement d'abord ; je craignais d'avoir bientôt, malgré toute cette grâce, ma dignité à sauver de quelque essai de protection. Mais ce reste de rancune contre sa race me rendait injuste. Cette femme est au-dessus de toute grandeur fortuite, comme de toute faveur d'hérédité. Ce qu'elle inspire d'abord, c'est le respect, et bientôt après, c'est la confiance et l'affection, sans que le respect diminue.

« Ce lieu-ci vous plaît, m'a-t-elle dit ; hélas ! je voudrais être libre de le donner à quelqu'un qui sût en profiter. Quant à moi, j'y viens en vain chercher le ravissement qu'il vous inspire. On me conseille, pour ma santé, d'en respirer l'air, et je n'y respire que la tristesse.

— Est-il possible ?... Et pourtant c'est vrai ! ai-je ajouté en regardant son visage pâle et ses beaux yeux fatigués. Vous n'êtes pas bien portante, et vous n'avez pas de bonheur.

— Du bonheur, monsieur ! Qui peut être riche ou pauvre et se dire heureux ! Pauvre on a des privations ; riche on a des remords. Voyez ce luxe, songez à ce que cela coûte, et sur combien de misères ces délices sont prélevées !

— Vrai, madame, vous songez à cela ?

— Je ne pense pas à autre chose, monsieur. J'ai connu la misère, et je n'ai pas oublié qu'elle existe. Ne me faites pas l'injure de croire que je jouisse de l'existence que je mène ; elle m'est imposée, mais mon cœur ne vit pas de ces choses-là...

— Votre cœur est admirable !...

— Ne croyez pas cela non plus, vous me feriez trop d'honneur. J'ai été enivrée quand j'étais plus jeune. Ma mollesse et mon goût pour les belles choses combattaient mes remords et les étouffaient quelquefois. Mais ces jouissances impies portent leur châtiment avec elles. L'ennui, la satiété, un dégoût mortel, sont venus peu à peu les flétrir ; maintenant je les déteste et je les subis comme un supplice, comme une expiation. »

Elle m'a dit encore beaucoup d'autres choses admirables que je ne saurais transcrire comme elle les a dites. Je craindrais de les gâter, et puis je me suis senti si ému, que les larmes m'ont gagné. Il me semblait que je contemplais un fait miraculeux. Une femme opulente et belle, reniant les faux biens et parlant comme une sainte ! J'étais bouleversé. Elle a vu mon émotion ; elle m'en a su gré.

« Je vous connais à peine, m'a-t-elle dit, et pourtant je vous parle comme je ne pourrais et je ne voudrais parler à aucune autre personne, parce que je sens que vous seul comprenez ce que je pense. »

Pour faire diversion à mon attendrissement, qui devenait excessif, elle m'a parlé du livre qu'elle tenait à la main.

« Il n'a pas compris les femmes, ce sublime Rousseau, disait-elle. Il n'a pas su, malgré sa bonne volonté et ses bonnes intentions, en faire autre chose que des êtres secondaires dans la société. Il leur a laissé l'ancienne religion dont il affranchissait les hommes ; il n'a pas prévu qu'elles auraient besoin de la même foi et de la même morale que leurs pères, leurs époux et leurs fils, et qu'elles se sentiraient avilies d'avoir un autre temple et une autre doctrine. Il a fait des nourrices croyant faire des mères. Il a pris le sein maternel pour l'âme génératrice. Le plus spiritualiste des philosophes du siècle dernier a été matérialiste sur la question des femmes. »

Frappé du rapport de ses idées avec les miennes, je l'ai fait parler beaucoup sur ce sujet. Je lui ai confié le plan de mon livre, et elle m'a prié de le lui faire lire quand il serait terminé ; mais j'ai ajouté que je ne le finirais jamais, si ce n'est sous son inspiration : car je crois qu'elle en sait beaucoup plus que moi. Nous avons causé plus d'une heure, et la nuit nous a séparés. Elle m'a fait promettre de revenir souvent. J'aurais voulu y retourner aujourd'hui, je n'ai pas osé ; mais j'irai demain si la porte de ce malheureux rez-de-chaussée n'est pas replacée, et si madame Germain ne me suscite pas quelque persécution pour m'interdire l'accès au jardin. Quel malheur pour moi et pour mon livre, si, au moment où la Providence me fait rencontrer un interprète divin si compétent sur la question qui m'occupe, un type de femme si parfait à étudier pour moi qui ne connais pas du tout les femmes...! Oh! oui! quel malheur, si le caprice d'une servante m'en faisait perdre l'occasion! car cette dame m'oubliera si je ne me montre pas ; elle ne m'appellera pas ostensiblement chez elle, si son mari est jaloux et despote, comme je le crois! Et d'ailleurs que suis-je pour qu'elle songe à moi?

CAHIER N° 1. — TRAVAIL.

L'homme est un insensé, un scélérat, un lâche, quand il calomnie l'être divin associé à sa destinée. La femme...

CAHIER N° 2. — JOURNAL.

8 janvier.

Je suis retourné déjà deux fois, et j'ai réussi à n'être pas aperçu de madame Germain. C'est plus facile que je ne pensais. Il y a une petite porte de dégagement au rez-de-chaussée, donnant sur un palier qui n'est point exposé aux regards de la loge. Toute l'affaire est de me glisser là sans éveiller l'attention de personne ; l'appartement est toujours en décombres, le jardin désert. La porte du mur mitoyen ne se trouve jamais fermée en dehors à l'heure où je m'y présente ; je n'ai qu'à la pousser et je me trouve seul dans le jardin de ma voisine. Toujours muni d'un livre de botanique, je m'introduis dans la serre. Le jardinier et le jockey me prennent pour un lourd savant, et m'accueillent avec toutes sortes d'égards. Quand madame n'est pas là elle y arrive bientôt, et alors nous causons deux heures au moins, deux heures qui passent pour moi comme le vol d'une flèche. Cette femme est un ange ! On en deviendrait passionnément épris si l'on pouvait éprouver en sa présence un autre sentiment que la vénération. Jamais âme plus pure et plus généreuse ne sortit des mains du Créateur ; jamais intelligence plus droite, plus claire, plus ingénieuse et plus logique n'habita un cerveau humain. Elle a la véritable instruction : sans aucun pédantisme, elle est compétente sur tous les points. Si elle n'a pas tout lu, elle a du moins tout compris. Oh ! la lumière émane d'elle, et je deviens plus sage, plus juste, je deviens véritablement meilleur en l'écoutant. J'ai le cœur si rempli, l'âme si occupée de ses enseignements, que je ne puis plus travailler ; je sens que je n'ai plus rien en moi qui ne me vienne d'elle, et qu'avant de transcrire les idées qu'elle me suggère il faut que je m'en pénètre en l'écoutant encore, en rêvant à ce que j'ai déjà entendu.

Je n'ai songé à m'informer ni de sa position à l'égard du monde, ni des circonstances de sa vie privée, ni même du nom qu'elle porte ; je sais seulement qu'elle s'appelle Julie, comme l'amante de Saint-Preux. Que m'importe tout le reste, tout ce qui n'est pas vraiment elle-même ? J'en sais plus long sur son compte que tous ceux qui la fréquentent ; je connais son âme, et je vois bien à ses discours et à ses nobles plaintes que nul autre que moi ne l'apprécie. Une telle femme n'a pas sa place dans la société présente, et il n'y en a pas d'assez élevée pour elle. Oh ! du moins elle aura dans mon cœur et dans mes pensées celle qui lui convient ! Depuis huit jours je me suis tellement réconcilié avec ma solitude, que je m'y suis retranché comme dans une citadelle ; je ne regarde même plus la femme ignoble qui me sert, de peur de reposer ma vue sur la laideur morale et physique, et de perdre le rayon divin dont s'illumine autour de moi le monde idéal. Je voudrais ne plus entendre le son de la voix humaine, ne plus aspirer l'air vital hors des heures que je ne puis passer auprès d'elle. Oh ! Julie ! je me croyais philosophe, je me croyais juste, je me croyais homme, et je ne vous avais pas rencontrée !

CAHIER Nº 1. — TRAVAIL.

DE L'AMOUR.

....
....
....

CAHIER Nº 2. — JOURNAL.

15 janvier.

Je ne croyais pas qu'un homme aussi simple et aussi retiré que moi dût jamais connaître les aventures, et pourtant en voici deux fort étranges qui m'arrivent en peu de jours, si toutefois je puis appeler du nom léger d'*aventure* ma rencontre romanesque et providentielle avec l'admirable Julie.

Hier soir, j'avais été appelé pour une affaire à la Chaussée-d'Antin, et je revenais assez tard. J'étais entré, chemin faisant, dans un cabinet de lecture pour feuilleter un ouvrage nouveau, dont le titre exposé à la devanture m'avait frappé. Je m'étais oublié là à parcourir plusieurs autres ouvrages assez frivoles, dans lesquels j'étudiais avec une triste curiosité les tendances littéraires du moment ; si bien que minuit sonnait quand je me suis trouvé devant l'Opéra. C'était l'ouverture du bal, et, ralentissant ma marche, j'observais avec étonnement cette foule de masques noirs, de personnages noirs, hommes et femmes, qui se pressaient pour entrer. Il y avait quelque chose de lugubre dans cette procession de spectres qui couraient à une fête en vêtements de deuil [1].

Heurté et emporté par une rafale tumultueuse de ces êtres bizarres, je me sens saisir le bras, et la voix déguisée d'une femme me dit à l'oreille : « On me suit. Je crains d'avoir été reconnue. Prêtez-moi le bras pour entrer ; cela donnera le change à un homme qui me persécute. — Je veux bien vous rendre ce service, ai-je répondu, bien que je n'entende rien à ces sortes de jeux. — Ce n'est pas un jeu, reprit le domino noir à nœuds roses, qui s'attachait à mon bras et qui m'entraînait rapidement vers l'escalier ; je cours de grands dangers. Sauvez-moi. »

J'étais fort embarrassé ; je n'osais refuser, et pourtant je savais qu'il fallait payer pour entrer. Je craignais de n'avoir pas de quoi ; mais nous pas-

---

1. Le journal de Jacques Laurent est daté de 183*, époque à laquelle les dominos étaient seuls admis au bal de l'Opéra. On n'y dansait pas.

sâmes si vite devant le bureau, que je n'eus pas même le temps de voir comment j'étais admis. Je crois que le domino paya lestement pour deux sans me consulter. Il me poussa avec impétuosité au moment où j'hésitais, et nous nous trouvâmes à l'entrée de la salle avant que j'eusse eu le temps de me reconnaître.

L'aspect de cette salle immense, magnifiquement éclairée, les sons bruyants de l'orchestre, cette fourmilière noire qui se répandait comme de sombres flots, dans toutes les parties de l'édifice, en bas, en haut, autour de moi ; les propos incisifs qui se croisaient à mes oreilles, tous ces bouquets, tous ces masques semblables, toutes ces voix flûtées qui s'imitent tellement les unes les autres, qu'on dirait le même être mille fois répété dans des manifestations identiques ; enfin, cette cohue triste et agitée, tout cela me causa un instant de vertige et d'effroi. Je regardai ma compagne. Son œil noir et brillant à travers les trous de son masque, sa taille informe sous cet affreux domino qui fait d'une femme un moine, me firent véritablement peur, et je fus saisi d'un frisson involontaire. Je croyais être la proie d'un rêve, et j'attendais avec terreur quelque transformation plus hideuse encore, quelque bacchanale diabolique.

Nous avions apparemment échappé au danger réel ou imaginaire qui me procurait l'honneur de l'accompagner, car elle paraissait plus tranquille, et elle me dit d'un ton railleur : « Tu fais une drôle de mine, mon pauvre chevalier. Vraiment, tu es le chevalier de la triste figure !

— Vous devez avoir furieusement raison, beau masque, lui répondis-je, car, grâce à vous, c'est la première fois que je me trouve à pareille fête. Maintenant vous n'avez plus besoin de moi, permettez-moi de vous souhaiter beaucoup de plaisir et d'aller à mes affaires.

— Non pas, dit-elle, tu ne me quitteras pas encore, tu m'amuses.

— Grand merci, mais...

— Je dirai plus, tu m'intéresses. Allons, ne fais pas le cruel, et crains d'être ridicule. Si tu me connaissais, tu ne serais pas fâché de l'aventure.

— Je ne suis pas curieux, permettez que je...

— Mon pauvre Jacques, tu es d'une pruderie révoltante. Cela prouve un amour-propre insensé. Tu crois donc que je te fais la cour? Commence par t'ôter cela de l'esprit, toi qui en as tant! Je ne suis pas éprise de toi le moins du monde, quoique tu sois trop joli garçon pour un pédant!

— A ce dernier mot, je vois bien que j'ai l'honneur d'être parfaitement connu de vous.

— Voilà de la modestie, à la bonne heure! Certes, je te connais, et je sais ton goût pour la botanique. Ne t'ai-je pas vu entrer dans une certaine serre où, depuis quinze jours, tu étudies le camélia avec passion?

— Qu'y trouvez-vous à redire?

— Rien. La dame du logis encore moins, à ce qu'il paraît?

— Vous êtes sans doute sa femme de chambre?

— Non, mais son amie intime.

— Je n'en crois rien. Vous parlez comme une soubrette et non pas comme une amie.

— Tu es grossier, chevalier discourtois! Tu ne connais pas les lois du bal masqué, qui permettent de médire des gens qu'on aime le mieux.

— Ce sont de fâcheux et stupides usages.

— Ta colère me divertit. Mais sais-tu ce que j'en conclus ?

— Voyons !

— C'est que tu voudrais, en jouant la colère, me faire croire qu'il y a quelque chose de plus sérieux entre cette dame et toi que des leçons de botanique.

— Sérieux ? Oui, sans doute, rien n'est plus sérieux que le respect que je lui porte.

— Ah ! tu la crois donc bien vertueuse ?

— Tellement, que je ne puis souffrir d'entendre parler d'elle en ce lieu, et d'en parler moi-même à une personne que je ne connais pas, et qui...

— Achève ! " Et dont tu n'as pas très bonne opinion jusqu'à présent ? "

— Que vous importe, puisque vous venez ici pour provoquer et braver la liberté des paroles ?

— Tu es fort aigre. Je vois bien que tu es amoureux de la dame aux camélias. Mais n'en parlons plus. Il n'y a pas de mal à cela, et je ne trouverais pas mauvais qu'elle te payât de retour. Tu n'es pas mal, et tu ne manques pas d'esprit ; tu n'as ni réputation, ni fortune, c'est encore mieux. Je pardonnerais à cette femme toutes les folies de sa jeunesse, si elle pouvait, sur *ses vieux jours*, aimer un homme raisonnable pour lui-même et s'attacher à lui sérieusement.

Vous, vous êtes ma mie, une fille suivante,
Un peu trop forte en gueule et fort impertinente.

Le domino provocateur ne fit que rire de la citation ; mais changeant bientôt de ton et de tactique :

« Ton courroux me plaît, dit-elle, et me donne une excellente opinion de toi. Sache donc que tout ceci était une épreuve ; que j'aime trop Julie pour l'attaquer sérieusement, et qu'elle saura demain combien tu es digne de l'honnête amitié qu'elle a pour ton personnage flegmatique, philosophique et botanique. Je veux que nous fassions connaissance chez elle à visage découvert, et que la paix soit signée entre nous sous ses auspices. Allons, viens t'asseoir avec moi sur un banc. Je suis déjà fatiguée de marcher, et mon envie de rire se passe. Julie prétend que tu es un grand philosophe, je serais bien aise d'en profiter. »

Soit faiblesse, soit curiosité, soit un vague prestige qui, de Julie, se reflétait à mes yeux sur cette femme légère, comme la brillante lueur de l'astre sur quelque obscur satellite, je la suivis, et bientôt nous nous trouvâmes dans une loge du quatrième rang, assis tellement au-dessus de la foule, que sa clameur ne nous arrivait plus que comme une seule voix, et que nous étions comme isolés à l'abri de toute surveillance et de toute distraction. *Elle* commença alors des discours étranges, où le plus énergique enivrement se mêlait à la plus adroite réserve ; elle paraissait continuer l'entretien piquant que nous avions commencé en bas, ou du moins passer naturellement de ce fait particulier à une théorie générale sur l'amour. Et comme il me semblait que c'était ou une provocation directe, ou le désir de m'arracher par surprise quelque secret de cœur relatif à Julie, je me tenais sur mes gardes. Mais elle se railla de ma prudence, et après avoir finement fustigé la présomption qu'elle m'attribuait dans les deux cas, elle me força à ne voir dans ses

discours qu'une provocation à des théories sérieuses de ma part sur la question brûlante qu'elle
agitait. J'étais scandalisé d'abord de cette facilité
sans retenue et sans fierté à soulever devant moi le
voile sacré à travers lequel j'ai à peine osé jusqu'ici
interroger le cœur des femmes ; mais son esprit
souple et fécond, une sorte d'éloquence fiévreuse
qu'elle possède, réussirent peu à peu à me captiver.
Après tout, me disais-je, voici une excellente occasion d'étudier un nouveau type de femme, qui, dans
sa fougue audacieuse, m'est tout aussi inconnu que
me l'était il y a peu de jours le calme divin de Julie.
Voyons à quelle distance de l'homme peut s'élever
ou s'abaisser la puissance de ce sexe !

« Allons, me disait-elle, réponds, mon pauvre
philosophe ! N'as-tu donc rien à m'enseigner ? Je
t'ai attiré ici pour m'instruire. Moralise-moi si tu
peux. De quoi veux-tu parler au bal masqué avec
une femme, si ce n'est d'amour ? Eh bien, pro-
nonce-toi, admets ou réfute mes objections. Que
feras-tu de la passion dans ta république idéale ?
Dans quelle série de mérites rangeras-tu la pécheresse qui a beaucoup aimé ? Sera-ce au-dessous, ou
au-dessus, ou simplement à côté de la vierge qui n'a
point aimé encore, ou de la matrone à qui les soins
vertueux du ménage n'ont pas permis d'être aimable
et, par conséquent, d'être émue et enivrée de
l'amour d'un homme ? Voueras-tu un culte exclusif
à ces fleurs sans parfum et sans éclat qui végètent à
l'ombre, et qui, ne connaissant pas le soleil, croient
que le soleil est l'ennemi de la vie ? Je sais que
tu adores le camélia ; apparemment tu méprises
la rose ?

— La rose est enivrante, répondis-je, mais elle

ne vit qu'un instant. Je voudrais lui donner la persistance et la durée du camélia blanc, symbole de pureté.

— C'est cela, tu voudrais lui enlever sa couleur et son parfum, et tu oserais dire aux jardiniers de ton espèce : « Voyez, chers cuistres, mes frères, quel beau monstre vient d'éclore sous mon châssis ! » Tiens, froid rêveur, regarde toutes ces femmes qui sont ici ! Je voudrais te faire soulever leurs masques et lire dans leurs âmes. La plupart sont belles, belles de corps et d'intelligence. Celles que tu croirais les plus dépravées sont souvent celles qui ont le plus tendre cœur, l'esprit le plus spontané, les plus nobles intelligences, les entrailles les plus maternelles, les dévouements les plus romanesques, les instincts les plus héroïques. Songes-y, malheureux, toutes ces femmes de plaisir et d'ivresse, c'est l'élite des femmes, ce sont les types les plus rares et les plus puissants qui soient sortis des mains de la nature ; et c'est pourquoi, grâce aux législateurs pudiques de la société, elles sont ici, cherchant l'illusion d'un instant d'amour, au milieu d'une foule d'hommes qui feignent de les aimer, et qui affectent entre eux de les mépriser. Les plus beaux et les meilleurs êtres de la création sont là, forcés de tout braver, ou de se masquer et de mentir, pour n'être pas outragés à chaque pas. Et c'est là votre ouvrage, hommes clairvoyants, qui avez fait de votre amour un droit, et du nôtre un devoir ! »

Elle me parla longtemps sur ce ton, et me fit entendre de si justes plaintes, elle sut donner tant d'attraits et de puissance à ce dieu d'Amour dont elle semblait vouloir élever le culte sur les ruines de tous les principes, que les heures de la nuit s'envolèrent pour moi comme un songe. La parole de cette femme me subjuguait ; la laideur de son déguisement, l'effroi que m'inspirait son masque, et jusqu'à l'éclat lugubre de la fête où elle m'avait entraîné, tout cela disparaissait autour de moi. Toute son âme, tout son être, semblaient être passés dans cette parole ardente, et cette voix feinte, qu'elle maintenait avec art pour ne pas se faire reconnaître, cette voix de masque qui m'avait blessé le tympan d'abord, prenait pour moi des inflexions étranges, quelque chose d'incisif, de pénétrant, qui agissait sur mes nerfs, si ce n'est sur mon âme. Je me sentais vaincu, modifié et comme transformé dans mes opinions en l'écoutant. Je lui demandai grâce. « Je suis trop agité pour répondre, lui dis-je, je veux rentrer en moi-même, et savoir si à l'abri de votre éloquence je dois vous admirer ou vous plaindre.

— Eh bien, dit-elle en se levant, consulte l'oracle ! Demande à Julie ce qu'elle doit penser du caquet de sa *femme de chambre*. Je te donne rendez-vous ici, à cette place et à cette heure, d'aujourd'hui en huit. Si tu n'y viens pas, je te regarderai comme vaincu, et je regretterai le temps que j'aurai perdu à provoquer un adversaire si faible. »

Elle disparut. J'étais si accablé, que je ne songeai pas à la suivre. Puis je le regrettai aussitôt, et me mis à sa recherche, mais inutilement. Il y avait dans le bal plus de cent dominos à nœuds roses. Une ouvreuse de loges, avec qui je sus engager une conversation, m'apprit que les *femmes comme il faut* ne portaient jamais aucun ornement, et que leur costume était uniformément noir comme la nuit.

Cette femme m'a bouleversé le cerveau. O Julie !

j'ai besoin de vous revoir et de vous entendre pour effacer ce mauvais rêve, pour me rattacher à l'adoration fervente et inviolable de la clarté sans ombre et de la pudeur sans trouble.

8 janvier.

Un mauvais génie a présidé au destin de la semaine. Une fois je suis allé au jardin, elle n'a point paru ; une autre fois j'ai essayé de pénétrer dans l'enclos par le rez-de-chaussée ; les portes étaient replacées, les serrures posées et fermées. J'ai fait une tentative désespérée auprès de madame Germain ; j'ai humblement demandé la permission de prendre un peu d'air et de mouvement dans ce jardin inoccupé. Elle m'a aigrement refusé.

« De l'air et du mouvement, Monsieur n'en manque pas, puisqu'il passe les nuits à courir ! »

J'ai offert de l'argent ; mais je ne suis pas assez riche pour corrompre.

« Monsieur n'en aura pas de trop pour acquitter les dettes des locataires insolvables. D'ailleurs, c'est ma consigne : le jardin n'est ouvert à personne. »

J'irai au bal de l'Opéra ce soir : je ferai cette folie. J'interrogerai ce masque, je saurai si Julie est malade ou si elle a quelque chagrin. Je ferai semblant d'être galant, pour me rendre favorable cette femme étrange qui prétend la connaître, et qui m'a peut-être trompé. Comment Julie pourrait-elle se lier d'amitié avec un caractère si différent du sien ?

10 janvier.

Me voilà brisé, anéanti ! Non, je n'aurai pas le courage de me raconter à moi-même ce que j'ai découvert, ce que je souffre depuis cette nuit maudite !

10 janvier.

Essayons d'écrire. Les souvenirs qu'on se retrace en les rédigeant échappent au vague de la rêverie dévorante.

A minuit j'étais là où elle m'avait dit de la rejoindre, et je l'attendais. Elle paraît enfin, me serre convulsivement la main, et se jette, essoufflée, sur une chaise au fond de la loge, après s'y être fait renfermer avec moi par l'ouvreuse. Au bout de quelques moments de silence où elle paraissait véritablement suffoquée par l'émotion :

« J'ai encore été poursuivie aujourd'hui, me dit-elle, par un homme qui me hait et que je méprise. Oh ! candide et honnête Jacques ! vous ne savez pas ce que c'est qu'un homme du monde, à quelle lâche fureur, à quels ignobles ressentiments peuvent se porter ces gens de bonne compagnie, quand le despotisme fanatique de leur amour-propre est blessé ! »

Je la plaignais, mais je ne trouvais pas d'expression pour la consoler.

« Vous le voyez, lui dis-je, cette vie d'enivrement et de plaisir égare celles qui s'y abandonnent. Ces illusions d'un instant dont vous me parliez mettent l'amour d'une femme, peut-être belle et bonne, aux bras d'un homme indigne d'elle, et capable de tout pour se venger du retour de sa raison.

— Qu'est-ce que cela prouve, Jacques? me dit-elle vivement. C'est qu'apparemment il faut s'abstenir de chercher et de rêver l'amour dans ce monde-ci. Créez-en donc un meilleur, où l'on puisse estimer ce qu'on aime, et, en attendant, croyez-moi, ne prenez pas parti pour le bourreau contre la victime. »

En ce moment, la porte de la loge voisine s'ouvrit. Un fort bel homme, qui avait un air grand seigneur et des fleurs à sa boutonnière, entra, et, se penchant vers ma compagne par-dessus la cloison basse qui le séparait de nous :

« C'est donc vous enfin, *belle Isidora*? lui dit-il d'un ton acerbe. Pourquoi fuir et vous cacher? Je ne prétends pas troubler vos plaisirs, mais voir seulement la figure de notre heureux successeur à tous, afin de le désigner aux remerciements de *mon ami Félix.* »

Quoiqu'il eût parlé à voix basse, je n'avais pas perdu un mot de son compliment. Ma compagne m'avait saisi le bras, et je la sentais trembler comme une feuille au vent d'orage. Je pris vite mon parti.

« Monsieur, dis-je en me levant, je ne sais point ce que c'est que mademoiselle Isidora. Je ne sais pas davantage ce que c'est que votre ami Félix, et je ne vois pas trop ce que peut être un homme qui s'en vient insulter une femme au bras d'un autre homme. Mais ce que je sais, mordieu, fort bien, c'est que je reviens de mon village, et que j'en ai rapporté des poings qui, pour parler le langage du lieu où nous sommes, pourraient bien vous faire piquer une tête dans le parterre, si votre goût n'était pas de nous laisser tranquilles. »

Puis, comme je le voyais hésiter, et qu'il me

paraissait trop facile de me débarrasser de ce beau fils par la force, il me prit envie de le persifler par un mensonge.

« Sachez, d'ailleurs, lui dis-je, que madame est... *ma femme*, et tenez-vous pour averti.

— Votre femme! répondit le dandy avec ironie, quoique cependant il ne fût pas certain de ne pas s'être grossièrement trompé. Votre femme!... Eh bien! monsieur, vous défendez peu courtoisement son honneur; mais j'ai tort, et je mérite un peu votre mercuriale. Que madame me pardonne, ajouta-t-il en saluant ma prétendue femme, c'est une méprise qui n'a rien de volontaire.

— Je te remercie, bon Jacques, reprit-elle, aussitôt qu'il se fut éloigné, tu m'as rendu un grand service; mais si tu veux que je te le dise, il y a dans ta manière de me défendre quelque chose qui me blesse profondément. Tu n'aurais donc pas consenti à défendre le nom et la personne d'Isidora, dans la crainte de passer pour l'amant d'une femme qu'on peut outrager ainsi?

— Rien de semblable ne m'est venu à l'esprit; je n'ai songé qu'à vous débarrasser d'un fou ou d'un ennemi, qui m'eût, à coup sûr, forcé de traverser par quelque scandale le plaisir que j'éprouve à causer avec vous.

— Mais si j'avais été cette Isidora fameuse dont on dit tant de mal, et dont vous avez sans doute la plus parfaite horreur, et si l'ennemi s'était acharné à me prendre pour elle, nonobstant notre mariage improvisé?...

— D'abord je ne m'inquiète pas de cette Isidora, et je ne la connais pas. Je ne suis pas un homme du monde, je n'ai point de rapports avec ce genre de femmes célèbres. Ensuite, Isidora ou non, je vous prie de croire que je ne suis pas assez de mon village pour ne pas savoir qu'on doit protection à la femme qu'on accompagne.

— Ah ! mon cher villageois, avoue que c'est une triste nécessité que le devoir d'un honnête homme en pareil cas ! Risquer sa vie pour une fille !

— Je n'ai jamais su ce que c'était qu'une fille, je le sais moins que jamais, et je suis tenté, depuis huit jours, de croire qu'il n'y a point de femmes qui méritent réellement cette épithète infamante. Si Isidora est une de ces femmes, et si vous êtes cette Isidora, j'éprouve pour vous...

— Eh bien, qu'éprouves-tu pour moi ? Dis donc vite !

— Le même sentiment qu'un dévot aurait pour une relique qu'il verrait foulée aux pieds dans la fange. Il la relèverait, il s'efforcerait de la purifier et de la replacer sous la châsse.

— Tu es meilleur que les autres, pauvre Jacques, mais tu n'es pas plus grand ! Tu vois toujours dans l'amour l'idée de pardon et de correction, tu ne vois pas que ton rôle de purificateur, c'est le préjugé du pédagogue qui croit sa main plus pure que celle d'autrui, et que la châsse où tu veux replacer la relique, c'est l'éteignoir, c'est la cage, c'est le tombeau de ta possession jalouse ?

— Femme orgueilleuse ! m'écriai-je, tu ne veux pas même de pardon ?

— Le pardon est un reproche muet, le mépris subsiste après. Je donnerais une vie de pardon pour un instant d'amour.

— Mais le mépris revient aussi après cet instant-là !

— On l'a eu, cet instant ! Avec le pardon on ne l'a pas. Mépris pour mépris, j'aime mieux celui de la haine que celui de la pitié. »

Je ne sais comment il se fit que l'accent dont elle dit ces paroles me causa une sorte de vertige. Je fus comme tenté de me jeter à ses pieds et de lui demander pardon à elle-même. Mais un reste d'effroi et peut-être de dégoût me retint.

« Allons-nous-en, me dit-elle, nous ne nous entendrons pas, mon philosophe ! »

Je la suivis machinalement. Nous fîmes un tour de foyer. J'y étais étourdi et comme étouffé par le feu croisé des agaceries et des épigrammes. Tout à coup ma compagne quitta mon bras comme pour m'échapper. Je ne la perdis pas de vue, et, voyant qu'elle quittait le bal, je décidai de le quitter aussitôt, tout en protégeant sa retraite. Je descendais l'escalier sur ses pas, et elle atteignait la dernière marche, lorsque le beau jeune homme dont je l'avais débarrassée, et qui rentrait, se trouve face à face avec elle. Il s'arrête, sourit avec un mépris inexprimable, et, levant les yeux vers moi :

« C'est donc l'habitude dans votre province, me dit-il, de suivre sa femme comme un jaloux, et de l'observer à distance ? Mon cher monsieur, vous vous êtes moqué de moi, mais je vous le pardonne, si bien que je veux vous donner un petit avis. La dame que vous escortez est la plus belle femme de Paris, vous avez raison d'en être vain ; mais, comme c'est la plus méprisable et la plus méprisée, vous auriez grand tort d'en être fier.

— Et vous, répondis-je, vous devriez être honteux de parler comme vous faites. Si vous dites un mot de plus, je vous en rendrai très repentant. »

Un flot de monde qui rentrait nous sépara, et il monta l'escalier assez rapidement. Quand il fut en haut du premier palier, il se retourna. Je m'étais emparé du bras d'Isidora, et je m'étais arrêté en bas pour le regarder aussi. Il haussa légèrement les épaules. Je lui fis un signe impératif pour qu'il eût à disparaître ou à redescendre. Il prit le premier parti, couvrant d'un air de dédain ironique sa retraite prudente.

Je me sentais le sang échauffé plus que de raison ; je voulais remonter et le forcer à prendre d'autres airs. Ma compagne se cramponna après moi.

« Vous me perdez si vous faites du scandale, me dit-elle. Suivez-moi, j'ai à vous parler. »

Elle m'entraîna vers un fiacre, donna son adresse tout bas au cocher, et me dit :

« Jacques, vous allez me suivre chez moi. Ce n'est pas une aventure ; je sais qu'elle ne serait pas de votre goût, et il n'est pas certain qu'elle fût du mien. »

Que ce fût la colère dont j'étais à peine remis, ou la pitié pour elle, ou quelque intérêt subit plus tendre que je ne voulais me l'avouer, je ne me sentais plus sous l'empire de la raison. Il faut que j'avoue aussi que la crainte de découvrir la vieillesse et la laideur sous son masque avait agi à mon insu sur mon imagination. Le dandy, qui croyait me dégoûter d'elle en m'apprenant (ce qu'il ne supposait pas que je pusse ignorer) qu'elle était la plus belle femme de Paris, avait étrangement manqué sa vengeance. Le prestige de la beauté, lors même qu'il n'agit pas encore sur les yeux, est tout-puissant sur un cerveau aussi impressionnable que le mien. J'entourai de mes bras ma tremblante conquête, et perdant tout mon orgueil de pédagogue, je la suppliai de ne pas me croire indigne d'un de ces moments d'amour qu'elle m'avait fait rêver si doux et si terribles. Elle tressaillit et s'arracha de mes bras à plusieurs reprises ; enfin elle me dit :

« Prenez garde, Jacques, que ma figure ne soit pour vous la tête de Méduse !... Vous allez me voir, hélas ! ne parlez pas d'amour et de joie. Je touche au terme de mon agonie, et je sens la vie quitter mon sein, peut-être pour la dernière fois. »

Le fiacre s'arrêta à une petite porte, dans une ruelle sombre. J'en franchis le seuil sans savoir dans quel quartier de Paris je pouvais être : j'avais fait cette course comme un somnambule. Nous traversâmes plusieurs pièces mystérieuses, éclairées seulement par des feux mourants de cheminée qui faisaient scintiller dans l'ombre quelques dorures. Enfin nous entrâmes dans un boudoir à la fois chaste et délicieux, au milieu duquel brûlait une lampe de bronze antique. Ma compagne ferma soigneusement les portes, alluma plusieurs bougies, et, tout à coup arrachant son masque avec un mouvement de colère et de désespoir, elle me montra... O ciel ! écrirai-je son nom sans défaillir !... les traits purs et divins de Julie !

« Julie ! m'écriai-je...

— Non pas Julie, dit-elle avec amertume, mais Isidora, *la femme la plus méprisée, sinon la plus méprisable de Paris.* »

Je restai longtemps atterré, et, lorsque j'osai relever les yeux sur elle, je vis qu'elle observait mon visage avec une profonde anxiété.

« Jacques, reprit-elle alors, voyant que je n'avais pas la force de rompre le silence, vous avez aimé

Julie ! Julie n'a pas joué de rôle devant vous : vous n'aviez point parlé d'amour ensemble. Vous avez connu l'état présent de son âme, ses profonds ennuis et ses plus sérieuses préoccupations depuis qu'elle a renoncé au rêve d'être aimée. Mais elle vous eût trompé, si elle eût laissé la passion s'allumer en vous dans les circonstances pures et charmantes qui avaient présidé à votre rencontre. Le hasard d'une autre rencontre à la porte de l'Opéra l'a décidée à se faire connaître sous son autre aspect. Celui-là, c'est le passé, mais un passé qui n'est pas assez loin pour être oublié des hommes qui le connaissent...

— Ne vous accusez pas, Julie, vous me faites trop de mal !

— Que voulez-vous dire ?

— Je n'en sais rien, je souffre !

— Je vous comprends mieux que vous-même. C'est le moment de nous dire adieu, Jacques. Ne souffrez pas à cause de moi. Moi aussi, je souffre, et je dois souffrir plus longtemps que vous ; car, moi aussi je vous aimais, alors que je me sentais aimée, et les raisons qui me feront combattre désormais votre souvenir ne sont terribles et humiliantes que pour moi seule.

— Ne dites pas cela, Julie ! Je vous aime, je vous aimerai toute ma vie. Je vous vénérais comme un ange ; à présent, je vous aimerai autrement ; mais ce ne sera pas moins, je vous le jure !

— *Vous le jurez !* donc vous ne le sentez plus. Je ne veux pas être aimée *autrement,* moi, et je sais que mon ambition est insensée. Ainsi, adieu, noble et bon Jacques, adieu pour toujours, le dernier amour de ma vie !

— Julie ! Julie ! ne mettez pas de l'orgueil à la place de l'amour. Ne repoussez pas cet amour vrai et profond, que je mets encore à vos pieds. O ciel ! craindriez-vous de moi de lâches reproches ?

— Je vous l'ai dit, je crains le *pardon* ! ce muet reproche, le plus noble, mais le plus implacable de tous !

— Ne parlez pas de pardon, n'en parlons jamais ! A Dieu seul le droit de pardonner ; vous avez raison ! Et que suis-je pour m'arroger celui de vous absoudre ? Ma vie a été pure et paisible, et je n'ai pas lieu d'en tirer gloire. A quelles séductions ai-je été exposé ? Quelles luttes ai-je subies ! Non, adorable et infortunée créature, je ne te pardonne pas, je t'aime trop pour cela !

— Tu as raison, Jacques, s'écria-t-elle, c'est ainsi qu'il faut aimer, ou ne pas s'en mêler ! »

Et, se précipitant dans mes bras, elle m'étreignit contre son cœur avec passion.

Mais cette femme avait trop souffert pour être confiante. De sinistres prévisions glacèrent ses premiers transports.

« Écoute, Jacques, dit-elle, tu sais bien tout ! Je suis une femme entretenue ; tu le sais à présent ! Je suis la maîtresse du comte Félix de *** ; sais-tu cela ? Nous sommes ici chez lui, il peut arriver et nous chasser l'un et l'autre ; y songes-tu ? En ce moment tu risques ton honneur, et moi mon opulence et la dernière planche de salut offerte à ma considéra-tion, sinon comme femme estimable, du moins comme beauté désirable et puissante.

— Que nous importe, Julie ? Demain tu quit-teras cette prison dorée où ton âme languit. Tu viendras partager la misère du pauvre rêveur. Je travaillerai pour te faire vivre, je suspendrai mes rêveries, je donnerai des leçons. Nous fuirons ensemble dans quelque ville de province, loin d'ici, loin de tes ennemis. Tu trouveras cette vie pure et simple à laquelle tu aspires... Tu ne connaîtras plus cet ennui qui te ronge, cette oisiveté que tu te reproches ; demain, tu seras libre, ma belle captive. Et pourquoi pas tout de suite ! Viens, partons, suis l'amant qui t'enlève ! »

Une secrète terreur se peignit dans les traits de Julie.

« Déjà des conditions ! dit-elle ; déjà le travail de ma réhabilitation qui commence ! Jacques, tu vas croire que je t'ai trompé, que je me suis trompée moi-même, quand je t'ai dit que je détestais mon luxe et mes plaisirs. Je t'ai dit la vérité, je le jure... Et pourtant tes projets me font peur ! Et si tu allais ne plus m'aimer ! Si je me trouvais seule, sans amour et sans ivresse, replongée dans cette affreuse misère que je n'ai pu supporter lorsque j'étais plus jeune, plus belle et plus forte ! La misère sans l'amour ! c'est impossible. Eh quoi ! tu me demandes déjà des sacrifices ? Tu n'attends pas que je te les offre ! tu acceptes la pécheresse à condition que, dès demain, dès aujourd'hui, elle passera à l'état de sainte ! Oh ! toujours l'orgueil et la domination de l'homme ! Il n'y a donc pas un instant d'ivresse où l'on puisse se réfugier contre les exigences d'un contrat ? »

L'amertume de Julie était profondément injuste. Je fus effrayé des blessures de cette âme meurtrie. J'espérai la guérir avec le temps et la confiance, et je voulus son amour sans condition. Je l'obtins, mais il y eut quelque chose de sinistre dans nos transports. Cela ressemblait à un éternel adieu dont nous avions tous deux le pressentiment. Quand le jour pâle et tardif de l'hiver vint nous avertir de nous séparer, je crus voir la Juliette de Shakespeare lisant dans le livre sombre du destin ; sa pâleur et ses cheveux épars la rendaient plus belle, mais les douleurs de son âme dévastée la rendaient effrayante. Elle me donna une clef de son appartement, et rendez-vous pour le soir même, mais elle ne put faire l'effort de sourire en recevant mon dernier baiser.

Deux heures après je recevais le billet suivant :

« Ce que je prévoyais est arrivé : le lâche qui m'a insultée au bal a instruit le comte de mon escapade. Je viens d'avoir une scène affreuse avec ce dernier. Mais j'ai dominé sa colère par mon audace. Je ne veux pas être chassée par cet homme, je veux le quitter au moment où il sera le plus courbé à mes pieds. Pour écarter ses soupçons, je pars avec lui pour un de ses châteaux. Je serai bientôt de retour, et alors, Jacques, je verrai si tu m'aimes. »

O Julie ! votre immense et pauvre orgueil nous perdra !

15 janvier.

Elle pouvait quitter cet homme et fuir le mal à l'instant même. Elle ne l'a pas voulu !... Est-ce la crainte de la misère ? Non, Julie, tu ne sais pas mentir, mais la crainte d'un mépris qui devait t'honorer pour la première fois de ta vie, t'a rejetée dans l'abîme. Tu n'as pas compris que la raillerie des âmes vicieuses allait cette fois te réhabiliter devant Dieu ! Et comment n'aurais-tu pas perdu la notion du vrai et du juste sur ces choses délicates ! Pauvre infortunée, ta vie a été un long mensonge à tes propres yeux !

Je l'attends toujours... Je l'aime toujours... Et pourtant elle a compté pour rien ma souffrance et ma honte. Elle subit l'amour avilissant de ce gentilhomme pour s'épargner le dépit d'être quittée, et pour se réserver la gloire de *quitter* la première ! Dieu de bonté, ayez pitié d'elle et de moi !

20 janvier.

Elle n'est pas revenue ! Elle ne reviendra peut-être pas !

30 janvier.

Billet de Julie, du château de***.

« Jacques, je pars pour l'Italie. Ne songez plus à moi. J'ai réfléchi. Vous n'auriez jamais pu m'aimer sans vouloir me dominer et m'humilier. Je domine et j'humilie Félix. J'ai encore besoin de cette vengeance pendant quelque temps. Ne croyez pas que je sois heureuse : vingt fois par jour je suis comme prête à me tuer ! Mais je veux mourir debout, vois-tu, et non pas vivre à genoux. J'ai trop bu dans cette coupe du repentir et de la pénitence ; je ne veux pas surtout que la main d'un amant la porte à mes lèvres. »

CAHIER Nº 1. — TRAVAIL.

1ᵉʳ mai.

Mon ouvrage est fort avancé, et la question des femmes est à peu près résolue pour moi. Êtres admirables et divins, vous ne pouvez grandir que dans la vertu, et vous abjurez votre force en perdant la sainte pudeur. C'est un frein d'amour et de confiance qu'il fallait à votre expansion puissante, et nous vous avons forgé un joug de crainte et de haine ! Nous en recueillons les fruits. Oh ! qu'ils sont amers à nos lèvres et aux vôtres !

———

DEUXIÈME PARTIE

ALICE

Dans un joli petit hôtel du faubourg Saint-Germain, plusieurs personnes étaient réunies autour de madame de T... Que madame de T... fût comtesse ou marquise, c'est ce que je n'ai pas retenu et ce qui importe le moins. Elle avait un nom plus doux à prononcer qu'un titre quelconque : elle s'appelait Alice.

Elle était ce jour-là au milieu de ses nobles parents ; aucun ne lui ressemblait. Ils étaient rogues et fiers. Elle était simple, modeste et bonne.

C'était une femme de vingt-cinq ans, d'une beauté pure et touchante, d'un esprit mûr et sérieux, d'une tournure jeune et pleine d'élégance. Au premier abord, cette beauté avait un caractère peut-être trop chaste et trop grave pour qu'il y eût moyen de mettre, comme on dit, un roman sur cette figure-là. L'extrême douceur du regard, la simplicité des manières et des ajustements, le parler un peu lent, l'expression plus juste et plus sensée qu'originale et brillante, tous ces dehors s'accordaient parfaitement avec tout ce que le monde savait de la vie d'Alice de T... Un mariage de convenance, un veuvage sans essai et sans désir de nouvelle union, une absence totale de coquetterie, aucune ambition de paraître, une conduite irréprochable, une froideur marquée et quelque peu hautaine avec les hommes à succès, une bienveillance désintéressée à l'égard des femmes, des amitiés sérieuses sans intimité exclusive, c'était là tout ce qu'on en pouvait dire. Lions et lionnes de salons la détestaient et la déclaraient impertinente, bien qu'elle fût d'une politesse irréprochable, savante même, et calculée comme l'est celle d'une personne fière à bon droit, au milieu des sots et des sottes. Les gens de cœur et d'esprit, qui sont en minorité dans le monde, l'estimaient au contraire ; mais ils lui eussent voulu plus d'abandon et d'élan. Quelques observateurs l'étudiaient, cherchant à découvrir un secret de femme sous cette réserve inexplicable ; mais ils y perdaient leur science. Cependant, disaient-ils, cet œil noir si calme a des éclairs rapides presque insaisissables ; ces lèvres qui parlent si peu ont quelquefois un tremblement nerveux, comme si elles refoulaient une pensée ardente ; cette poitrine si belle et si froide a comme des tressaillements mystérieux. Puis tout cela s'efface avant qu'on ait pu l'étudier, avant qu'on puisse dire si c'est une aspiration violentée par la prudence, ou quelque bâillement de profond ennui étouffé par le savoir-vivre.

Revenue depuis peu de jours de la campagne, elle revoyait ses parents pour la première fois depuis six mois environ. Ils avaient remarqué qu'elle était changée, amincie, pâlie extrêmement, et que sa gravité ordinaire avait quelque chose d'une nonchalance chagrine.

« Ma nièce, lui disait sa vieille tante la marquise, la campagne ne vous a point profité cette année. Vous y êtes restée trop longtemps, vous y avez pris de l'ennui.

— Ma chère, disait une cousine fort laide, vous ne vous soignez pas. Vous montez trop à cheval ; j'en suis sûre, vous lisez le soir, vous vous fatiguez. Vos lèvres sont blêmes et vos yeux cernés.

— Ma cousine, ajoutait un jeune fat, frère de la précédente, il faut vous remarier absolument. Vous vivez trop seule, vous vous dégoûtez de la vie. »

Alice répondait, avec un sourire un peu forcé, qu'elle ne s'était jamais mieux portée, et qu'elle aimait trop la campagne pour s'y ennuyer un seul instant.

« Et votre fils, ce cher Félix, arrive-t-il bientôt ? dit un vieil oncle.

— Ce soir ou demain, j'espère, dit madame de T... ; je l'ai devancé de quelques jours, son précepteur me l'amène. Vous le trouverez grandi, embelli, et fort comme un petit paysan.

— J'espère pourtant que vous ne l'élevez point tout à fait à la Jean-Jacques ? reprit l'oncle. Êtes-vous contente de ce précepteur que vous lui avez trouvé là-bas ?

— Fort contente, jusqu'à présent.

— C'est un ecclésiastique ? demanda la cousine.

— Non, c'est un homme fort instruit.

— Et où l'avez-vous déterré ?

— Tout près de moi, dans les environs de ma terre.

— Est-ce un jeune homme ? demanda le cousin d'un air qui voulait être malin.

— C'est un jeune homme, répondit tranquillement Alice ; mais il a l'air plus grave que vous, Adhémar, et je le crois beaucoup plus raisonnable. Mais, ajouta-t-elle en regardant la pendule, le notaire va venir, et je crois, mon cher oncle et ma chère tante, que nous ferions mieux de nous occuper de l'objet qui nous rassemble.

— Ah ! c'est un objet bien triste ! dit la tante avec un profond soupir.

— Oui, dit gravement madame de T..., cela renouvelle pour moi surtout une douleur à peine surmontée.

— Cet odieux mariage, n'est-ce pas ? dit la cousine.

— Je ne puis songer à autre chose, reprit Alice, qu'à la perte de mon frère. »

Et, comme ce souvenir fut accueilli froidement, le cœur d'Alice se serra et des larmes vinrent au bord de sa paupière ; mais elle les contint. Sa douleur n'avait pas d'écho dans ces cœurs altiers.

Le notaire, un vieux notaire obséquieux en saluts, mais impassible de figure, entra, fut reçu poliment par madame de T..., sèchement par les autres, s'assit devant une table, déplia des papiers, lut un testament et fut écouté dans un profond silence. Après quoi, il y eut des réflexions faites à voix basse, un chuchotement de plus en plus agité autour d'Alice ; enfin on entendit la voix de la noble tante s'élever sur un diapason assez aigre, et dire, sans pouvoir se contenir davantage :

« Eh quoi, ma nièce, vous ne dites rien ? vous n'êtes pas indignée ! je ne vous conçois pas ! votre excès de bienveillance vous nuira dans le monde, je vous en avertis.

— Je ne me vante d'aucune bienveillance pour la

personne dont nous parlons, répondit madame de
T... ; je ne la connais pas. Mais je sais et je vois que
mon frère l'a réellement épousée.

— Oui ! mais il est mort ; et elle ne nous est de
rien, s'écria l'autre dame.

— Vous tranchez lestement le nœud du mariage,
ma cousine, reprit Alice. Demandez à monsieur le
notaire s'il fait aussi bon marché de la question
civile que vous de la question religieuse.

— Les actes civils, le contrat, le testament, tout
cela est en bonne forme, dit le notaire en se levant.
J'ai fait connaître mon mandat et mes pouvoirs ; je
me retire, s'il y a procès, ce que je regarde comme
impossible...

— Non, non ! pas de procès, répondit gravement le vieux oncle : ce serait un scandale ; et nous
n'avons pas envie de proclamer cet étrange mariage,
en lui donnant le retentissement des journaux de
palais et des mémoires à consulter. Sachez, monsieur, que, pour des gens comme nous, la question
d'argent n'est pas digne d'attention. Mon neveu
était maître de sa fortune ; qu'il en ait disposé en
faveur de son laquais, de son chien ou de sa maîtresse, peu nous importe... Mais notre nom a été
souillé par une alliance inqualifiable ; et nous
sommes prêts à faire tous les sacrifices pour empêcher cette fille de le porter.

— Je ne me charge pas, moi, de porter une
pareille proposition, dit le notaire ; et mon minis-
tère ici et rempli. La question de savoir si vous
accueillerez madame la comtesse de S... comme une
parente, ou si vous la repousserez comme une
ennemie, n'est pas de mon ressort. Je vous laisse la
discuter, d'autant plus que mon rôle de mandataire

de cette personne semble augmenter l'esprit d'hostilité que je rencontre ici contre elle. Madame de T..., j'ai l'honneur de vous présenter mon profond respect ; Mesdames... Messieurs... »

Et le vieux notaire sortit en faisant de grandes révérences à droite et à gauche ; des révérences comme les jeunes gens n'en font plus.

« Cet homme a raison, dit le jeune beau-fils en moustaches blondes, qui n'avait paru, pendant la lecture des papiers, occupé que du vernis de ses bottes et de sa canne à tête de rubis. Je crois qu'il eût mieux valu se taire devant lui. Il va reporter à sa *cliente* toutes nos réflexions...

— Il est bon qu'elle les sache, mon fils, s'écria la vieille tante. Je voudrais qu'elle fût ici, dans un coin, pour les entendre et pour se bien pénétrer de notre mépris.

— Vous ne connaissez pas ces femmes-là, maman, reprit le jeune homme d'un ton de pédantisme adorable et avec un sourire de judicieuse fatuité ; elles triomphent du dépit qu'elles causent, et toute leur gloire est de faire enrager les gens comme il faut.

— Qu'elle vienne essayer de me narguer ! dit la cousine d'une voix sèche et mordante, et vous verrez comme je lui fermerai ma porte au nez !

— Et vous, Alice, reprit la tante, comptez-vous donc lui ouvrir la vôtre, que vous ne protestez pas avec nous ?

— Je n'en sais rien, répondit madame de T..., cela dépendra tout à fait de sa conduite et de sa manière d'être ; mais ce que je sais, c'est qu'il me serait beaucoup plus difficile qu'à vous de l'humilier et de l'outrager. Elle ne se trouve être votre parente qu'à un certain degré, au lieu que moi... je suis sa belle-sœur ! elle est la veuve de mon frère, d'un homme qu'elle a aimé, que je chérissais, et pour lequel aucun de vous n'a eu, dans les dernières années de sa vie, beaucoup d'indulgence. »

Au mot de belle-sœur, un cri d'indignation avait retenti dans tout le salon, et la vieille tante s'était vigoureusement frappé la poitrine de son éventail ; la cousine abaissa son voile sur sa figure ; l'oncle soupira ; le beau cousin se dandina et fit crier le parquet sous un léger trépignement d'ironie. D'autres parents, qui se trouvaient là, et qui jouaient convenablement, de l'œil et du sourire, leur rôle de comparses, chuchotèrent et se promirent les uns aux autres de ne pas imiter l'exemple de madame de T...

« Ma chère nièce, dit enfin l'oncle, je ne suis pas le partisan de vos idées philosophiques ; je suis un peu trop vieux pour abjurer mes principes, quoique je pusse le faire avec vous en bonne compagnie. Je connais votre bonté excessive, et ne suis pas étonné de vous voir fermer l'oreille à la vérité, quand cette vérité est une condamnation sans appel. Vous espérez toujours justifier et sauver ceux qu'on accuse ; mais ici, vous y perdrez vos bonnes intentions et tous vos généreux arguments. Renseignez-vous, informez-vous, et vous reconnaîtrez que la clémence vous est impossible. Quand vous saurez bien quelle créature infâme a été appelée par votre frère à l'honneur de porter son nom et d'hériter de ses biens, vous ne nous exposerez pas à la rencontrer chez vous, et vous nous dispenserez du pénible devoir de l'en faire sortir. »

Cet avis fut adopté avec chaleur, et madame de

T..., restée seule de son avis, se trouva bientôt tête
à tête avec son cousin. Les autres parents se retirè-
rent, craignant de la confirmer dans sa résistance
par une trop forte obsession. Ils la savaient courageuse et ferme, malgré ses habitudes de douceur.

« Ah çà, ma cousine, dit le jeune fat lorsqu'ils
furent tous sortis, est-ce sérieusement que vous
parlez d'admettre Isidora auprès de vous ?

— Je n'ai parlé que d'examiner ma conscience et
mon jugement sur le parti que j'ai à prendre,
Adhémar : mais, en attendant, je vous engage, par
respect pour nous-mêmes, à oublier ce nom d'Isidora, sous lequel madame de S... vous est sans
doute désavantageusement connue. Il me semble
que, plus vous l'outragerez dans vos paroles, plus
vous aggraverez la tache imprimée à notre famille.

— *Désavantageusement* connue ? Non, je ne me
servirai pas de ce mot-là, repartit le cousin en
caressant sa barbe couleur d'ambre. C'était une trop
belle personne pour que l'*avantage* de la connaître
ne fût pas recherché par les jeunes gens. Mais il en
serait tout autrement dans les relations qu'une
femme comme vous pourrait avoir avec une femme
comme elle... Alors je présume que...

— Tenez, mon cousin, je comprends ce que
vous tenez à me faire entendre, et je vous déclare
que je ne trouve pas cela risible. C'est comme un
affront que vous vous plaisez à imprimer à la
mémoire de mon frère, et votre gaieté, en pareil cas,
me fait mal.

— Ne vous fâchez pas, ma chère Alice, et ne
prenez donc pas les choses si sérieusement. Eh !
bon Dieu, où en serions-nous si tous les ridicules
de ce genre étaient de sanglants affronts ? Dans

notre vie de jeunes gens, lequel de nous n'a connu la mauvaise fortune de voir ou de *ne pas voir* sa maîtresse s'oublier un instant dans les bras d'un ami et même d'un cousin ? Peccadilles que tout cela ! Vous ne pouvez pas vous douter de ce que c'est que la vie de jeune homme, ma cousine ; vous, surtout, qui vous plaisez, avant le temps, à mener la vie d'une vieille femme : vous n'avez pas la moindre notion...

— Dieu merci ! c'est assez, Adhémar, je ne tiens pas à vos enseignements. Je ne vous demande qu'un mot. Cette femme n'a-t-elle pas aimé beaucoup mon frère, dites ?

— Beaucoup : c'est possible. Ces femmes-là aiment parfois l'homme qu'elles trompent cent fois le jour. Quand je vous dis que vous ne pouvez pas les juger !

— Je le sais, et ce m'est une raison de plus de ne pas les condamner sans chercher à les comprendre.

— Parbleu ! ma chère, c'est une étude qui vous mènera loin, si vous en avez le courage ; mais je ne crois point que vous l'ayez.

— Enfin, répondez-moi donc, Adhémar. Je sais que le passé de cette femme a été plein d'orages...

— Le mot est bénin.

— D'égarements, si vous voulez ; mais je sais aussi que, depuis plusieurs années, elle s'est conduite avec dignité ; et la marque de haute estime que mon frère a voulu lui donner en l'épousant à son lit de mort, en est une preuve. Parlez donc : pensez-vous, en votre âme et conscience, qu'elle ait épuré sa conduite et amélioré sa vie par l'envie qu'elle avait de le rendre heureux, ou par un calcul intéressé qu'elle aurait fait de l'épouser ?

— D'abord, Alice, je nie le principe ; je suis donc forcé de nier la conséquence. Cette femme avait pris l'habitude de l'hypocrisie ; elle mettait plus d'art dans sa conduite ; elle avait éloigné d'elle tous ses anciens amants ; elle se tenait renfermée, ici à côté, dans le pavillon du jardin de votre frère ; elle cultivait des fleurs ; elle lisait des romans et de la philosophie aussi, Dieu me pardonne ! elle faisait l'esprit fort, la femme blasée, la compagne mélancolique, la pécheresse convertie, et ce pauvre Félix se laissait prendre à tout cela. Mais quand je vous dirai, moi, que la veille de leur départ pour l'Italie, dans le temps où cette fille passait, aux yeux de Félix, pour un ange, je l'ai reconnue, au bal de l'Opéra, en aventure non équivoque avec un joli garçon de province, maître d'école ou clerc de procureur, à en juger par sa mine !...

— Vous vous serez trompé ! sous le masque et le domino !...

— Sous le domino, à moins d'être un écolier, on reconnaît toujours la démarche d'une femme qu'on a connue intimement. Ne rougissez pas, cousine ; je m'exprime en termes convenables, moi, et je vous jure, non pas en mon âme et conscience, mais plus sérieusement, sur l'honneur ! que cette aventure est certaine. Si vous voulez des preuves, je vous en fournirai, car j'ai été aux informations. Ce villageois demeurait ici, sous les combles, dans cette maison, qui est à vous maintenant, et que votre frère faisait valoir pour vous, en même temps que la sienne, située mur mitoyen. C'était un pauvre hère, qui avait reçu d'elle de l'argent pour s'acheter des bottes, je présume. Ils s'étaient vus deux ou trois fois dans la serre ; la porte de votre jardin leur servait de communication. Je pourrais, si je cherchais bien, retrouver la femme de chambre qui m'a donné ces détails, et le jockey qui porta l'argent. La dernière nuit qu'Isidora passa à Paris, elle reçut cet homme dans le pavillon, dans l'appartement, dans les meubles de votre frère. Ce fut alors qu'averti par moi, il voulut la quitter. Ce fut alors qu'elle déploya toutes les ressources de son impudence pour le ressaisir. Ce fut alors qu'ils partirent ensemble pour ce voyage dont notre pauvre Félix n'est pas revenu, et qui s'est terminé pour lui par deux choses extrêmement tristes : une maladie mortelle et un mariage avilissant.

— Assez Adhémar ! tout cela me fait mal, et votre manière de raconter me navre. Au revoir. Je réfléchirai à ce que je dois faire.

— Vous réfléchirez ! Vous tenez à vos réflexions, ma cousine ! Après cela, si vous accueillez Isidora, ajouta-t-il avec une fatuité amère, cela pourra rendre votre maison plus gaie qu'elle ne l'est, et si elle vous amène ses amis des deux sexes, cela jettera beaucoup d'animation dans vos soirées. Mon père et ma tante vous bouderont peut-être ; mais, quant à moi, je ne ferai pas le rigoriste. Vous concevez, moi, je suis un jeune homme, et je m'amuserai d'autant mieux ici, qu'il me paraîtra plus plaisant de voir votre gravité à pareille fête. Bonsoir, ma cousine.

— Bonsoir, mon *jeune* cousin », répondit Alice ; et elle ajouta mentalement en haussant les épaules, lorsqu'il se fut éloigné : vieillard !

Elle demeura triste et rêveuse. Il y a de grandes bizarreries dans la société, se disait-elle, et il est fort étrange que les lois de l'honneur et de la morale aient pour champions et pour professeurs gourmés des laides envieuses, des femmes dévotes d'un passé équivoque, des hommes débauchés !

Tout à coup la porte de son salon se rouvrit, et elle vit rentrer Adhémar. « Tenez, tenez, ma cousine, lui dit-il d'un air moqueur, vous allez voir le héros de l'aventure ; c'est lui, j'en suis certain, car j'ai une mémoire qui ne pardonne pas, et d'ailleurs, la femme de votre concierge l'a reconnu et l'a nommé.

— Quelle aventure, quel héros ? Je ne sais plus de quoi vous me parlez, Adhémar.

— L'aventure du bal masqué ; le dernier amant d'Isidora à Paris, il y a trois ans : ah ! c'est charmant, ma parole ! Et le plus joli de l'affaire, c'est que vous réchauffiez ce serpent dans votre sein, cousine... Je veux dire dans le sein de votre famille !

— Ne vous battez donc pas les flancs pour rien ; expliquez-vous.

— Je n'ai pas à m'expliquer : le voilà qui arrive de province, frais comme une pêche, et qui descend dans votre cour.

— Mais qui ? au nom du ciel !

— Vous allez le voir, vous dis-je ; je ne veux pas le nommer ; je veux assister à ce coup de théâtre. Je suis revenu sur mes pas bien vite, après l'avoir nettement reconnu sous la porte cochère. Ah ! le scélérat ! le Lovelace ! » Et Adhémar se prit à rire de si bon cœur qu'Alice en fut impatientée. Mais bientôt elle fit un cri de joie en voyant entrer son fils Félix, filleul du frère qu'elle avait perdu, et le plus beau garçon de sept ans qu'il soit possible d'imaginer.

— Ah ! te voilà, mon enfant, s'écria-t-elle en le

pressant sur son cœur. Que le temps commençait à me paraître long sans toi ! Étais-tu impatient de revoir ta mère ? N'es-tu pas fatigué du voyage ?

— Oh ! non, je me suis bien amusé en route à voir courir les chevaux, répondit l'enfant ; j'étais bien content d'aller si vite du côté de ma petite mère.

— Quelle folle plaisanterie me faisiez-vous donc, Adhémar ? reprit madame de T... Est-ce là le héros de votre si plaisante aventure ?

— Non pas précisément celui-ci, répondit Adhémar, mais celui-là. » Et il fit un geste comiquement mystérieux pour désigner le précepteur de Félix qui entrait en cet instant.

Alice, se sentant sous le regard méchant de son cousin, ne fit pas comme les héroïnes de théâtre, qui ont pour le public des *a parte*, des exclamations et des tressaillements si confidentiels, que tous les personnages de la pièce sont fort complaisants de n'y pas prendre garde. Elle se conduisit comme on se conduit dans le monde et dans la vie, même sans avoir besoin d'être fort habile. Elle demeura impassible, accueillit le précepteur de son fils avec bienveillance, et, après quelques mots affectueusement polis, elle prit son enfant sur ses genoux pour le caresser à son aise.

« Je vous laisse en trop bonne compagnie, lui dit Adhémar en se rapprochant d'elle et en lui parlant bas, pour craindre que vous preniez du souci de tout ce que j'ai pu vous dire. Dans tous les cas vous voici à la source des informations, et M. Jacques Laurent vous éclairera, si bon lui semble, sur les mérites de celle qu'il vous plaisait tantôt d'appeler votre belle-sœur. Mais prenez garde à vous, cousine : ce provincial-là est un fort beau garçon, et, avec les antécédents que je lui connais, il est capable de pervertir... toutes vos femmes de chambre. »

Madame de T... ne répondit rien. Elle avait paru ne pas entendre.

« Saint-Jean, dit-elle à un vieux serviteur qui apportait les paquets de Félix, conduisez M. Laurent à son appartement. Bonsoir, Adhémar... Toi, dit-elle à son fils, viens que je fasse ta toilette, et que je te délivre de cette poussière.

— Comment ! ce don Juan de village va demeurer dans votre maison, Alice ? reprit le cousin lorsque Jacques fut sorti.

— En quoi cela peut-il vous intéresser, mon cousin ?

— Mais je vous déclare qu'il est dangereux.

— Pour mes femmes de chambre, à ce que vous croyez ?

— Ma foi, pour vous, Alice, qui sait ? On le remarquera, et on en parlera.

— Qui en parlera, je vous prie ? dit madame de T... avec une hauteur accablante, et en regardant son cousin en face : votre sœur et vous ?

— Vous êtes en colère, Alice, répondit-il avec un sourire impertinent, cela se voit malgré vous. Je m'en vais bien vite, pour ne pas vous irriter davantage, et je me garderai bien de médire de votre précepteur si instruit, si raisonnable et si grave. Pardonnez-moi si, n'ayant fait connaissance avec lui qu'au bal masqué et au bras d'une fille, j'en avais pris une autre idée... Je tâcherai de tourner à la vénération sous vos auspices. »

Il passa, dans l'antichambre, auprès de Jacques Laurent, qui séparait ses paquets d'avec ceux du jeune Félix, et il lui lança des regards ironiques et méprisants, qui ne firent aucun effet : Jacques n'y prit pas garde. Il avait bien autre chose en l'esprit que le souvenir d'Isidora et du dandy qui l'avait insultée au bal masqué, il y avait si longtemps ! Il tourna à demi la tête vers ce beau jeune homme, dont chaque pas semblait fouler avec mépris la terre trop honorée de le porter. Voilà une mine impertinente, pensa-t-il ; mais il n'avait pas conservé cette figure dans sa mémoire, et elle ne lui rappela rien dans le passé.

Cependant Adhémar se retirait, frappé de la figure de Jacques Laurent, et se demandant avec humeur, lui qui, sans aimer Alice, était blessé de ne lui avoir jamais plu, si ce blond jeune homme, à l'œil doux et fier, ne se justifierait pas aisément des préventions suggérées contre lui à madame de T... ; si, au lieu d'être un timide pédagogue, traité en subalterne, comme il eût dû l'être dans les idées d'Adhémar, ce n'était pas plutôt un soupirant de rencontre, bon à la campagne pour un roman au clair de lune, et commode à Paris pour jouer le rôle d'un sigisbée mystérieux.

Une heure après, le jeune Félix, peigné, lavé et parfumé avec amour par sa mère, courait et sautillait dans le jardin comme un oiseau ; Laurent se promenait à distance, passant et repassant d'un air rêveur le long du grand mur qui longeait le jardin, et le séparait d'un autre enclos ombragé de vieux arbres. Alice descendait lentement le perron du petit salon d'été, qui formait une aile vitrée avançant sur le jardin, et où elle se tenait ordinairement pendant cette saison : car on était alors en plein été. Madame de T... avait passé l'hiver et le printemps à la campagne. Elle avait souhaité d'y passer une année entière, elle l'avait annoncé ; mais des affaires imprévues l'avaient forcée de revenir à Paris, elle ignorait pour combien de temps, disait-elle. Il y avait eu pourtant dans cette soudaine résolution quelque chose dont Jacques Laurent ne pouvait se rendre compte, et dont elle ne se rendait pas peut-être compte à elle-même. Peut-être y avait-il eu dans la solitude de la campagne, et dans l'air enivrant des bois, quelque chose de trop solennel ou de trop émouvant pour une imagination habituée à se craindre et à se réprimer.

Quoi qu'il en soit, elle marcha quelques instants, comme au hasard, dans le jardin, tantôt s'amusant des jeux de son fils, tantôt se rapprochant de Jacques, comme par distraction. Enfin ils se trouvèrent marchant tous trois dans la même allée, et, deux minutes après, l'enfant, qui voltigeait de fleur en fleur, laissa son précepteur seul avec sa mère.

Ce précepteur avait dans le caractère une certaine langueur réservée, qui imprimait à sa physionomie et à ses manières un charme particulier. Naturellement timide, il l'était plus encore auprès d'Alice, et, chose étrange, malgré l'aplomb que devait lui donner sa position, malgré l'habitude qu'elle avait des plus délicates convenances, malgré l'estime bien fondée que le précepteur s'était acquise par son mérite, madame de T... était encore plus embarrassée que lui dans ce tête-à-tête. C'était un mélange, ou plutôt une alternative de politesse affectueuse et de préoccupation glaciale. On eût dit qu'elle voulait accueillir gracieusement et généreusement ce pauvre jeune homme qu'elle arrachait au repos de la province et à la nonchalance de ses modestes habitudes, en lui rendant agréable le séjour de Paris ; mais on eût dit aussi qu'elle se faisait violence pour s'occuper de lui, tant sa conversation était brisée, distraite et décousue.

Saint-Jean lui apporta plusieurs cartes, qu'elle regarda à peine.

« Je ne recevrai que la semaine prochaine, dit-elle, je ne suis pas encore reposée de mon voyage, et je veux, avant de laisser le monde envahir mes heures, mettre mon fils au courant de ce changement d'habitudes. Et puis, j'ai besoin de jouir un peu de lui. Savez-vous que huit jours de séparation sont bien longs, monsieur Laurent ?

— Oui, madame, pour une mère, toute absence est trop longue, répondit Jacques Laurent, comme s'il eût voulu l'aider à lui ôter à lui-même toute velléité de présomption.

— Et puis, reprit-elle, il y avait six mois que mon fils et moi nous ne nous quittions pas d'un seul instant, et je m'en étais fait une douce habitude, que la vie de Paris va rompre forcément. Le monde est un affreux esclavage ; aussi j'aspire à quitter ce monde... mais il est vrai que mon fils aspirera un jour peut-être à s'y lancer, et que ma retraite serait alors en pure perte. Ah ! monsieur Laurent, vous ne connaissez pas le monde, vous ! vous ne dépendez pas de lui, vous êtes bien heureux !

— Je suis effectivement très heureux », répondit Jacques Laurent du ton dont il aurait dit : Je suis parfaitement dégoûté de la vie.

Cette intonation lugubre frappa madame de T... ; elle tressaillit, le regarda, et, tout à coup détournant les yeux :

« Trouvez-vous cette maison agréable ? lui dit-elle, n'y regretterez-vous pas trop la campagne ?

— Cette maison est fort embellie, répondit Laurent, préoccupé ; je crois pourtant que j'y regretterai beaucoup la campagne.

— Embellie ? reprit Alice ; vous étiez donc déjà
venu ici ?

— Oui, madame, je connaissais beaucoup cette
maison pour y avoir demeuré autrefois.

— Il y a longtemps ?

— Il y a trois ans.

— Ah oui ! reprit Alice, un peu émue, c'est
l'époque du départ de mon frère pour l'Italie.

— Je crois effectivement qu'à cette époque, dit
Laurent, un peu troublé aussi, M. de S... faisait régir
cette maison, et qu'il habitait la maison voisine.

— Qui lui appartenait, reprit Alice, et qui maintenant appartient à sa veuve.

— J'ignorais qu'il fût marié.

— Et nous aussi ; je viens de l'apprendre, il y a
un instant, par la déclaration d'un homme de loi, et
par de vives discussions qui se sont élevées dans ma
famille à ce sujet. Vous entendrez nécessairement
parler de tout cela avant peu, monsieur Laurent, et
je suis bien aise que vous l'appreniez de moi
d'abord... d'autant plus, ajouta-t-elle en observant
la contenance du jeune homme, qu'il est fort possible que vous ayez quelque renseignement, peut-
être quelque bon conseil à me donner.

— Un conseil ! moi, madame ? dit Laurent, tout
tremblant.

— Et pourquoi non, reprit Alice avec une
aisance fort bien jouée ; vous avez le sentiment des
véritables convenances, plus que ceux qui s'établissent, dans ce monde, juges du point d'honneur.
Vous avez dans l'âme le culte du beau, du juste, du
vrai ; vous comprendrez les difficultés de ma situation, et vous m'aiderez peut-être à en sortir. Du

moins votre première impression aura une grande valeur à mes yeux. Sachez donc que mon frère a légué son nom et ses biens, en mourant, à une femme tout à fait déconsidérée, et dont le nom, malheureusement célèbre dans un certain monde, est peut-être arrivé jusqu'à vous...

— Il y a si longtemps que j'habite la province, dit Laurent avec le désir évident de se récuser, que j'ignore...

— Mais, il y a trois ans, vous habitiez Paris, vous demeuriez dans cette maison ; il est impossible que vous n'ayez pas entendu prononcer le nom d'*Isidora*. »

Jacques Laurent devint pâle comme la mort ; son émotion l'empêcha de voir la pâleur et l'agitation d'Alice.

« Je crois, dit-il, qu'en effet... ce nom ne m'est pas inconnu, mais je ne sais rien de particulier...

— Pourtant vous avez dû rencontrer cette personne, monsieur Laurent ; rappelez-vous bien ! dans ce jardin, par exemple...

— Oui, oui, en effet, dans ce jardin, répondit tout éperdu le pauvre Laurent, qui ne savait pas mentir, et sur qui la douce voix d'Alice exerçait un ascendant dominateur.

— Vous devez bien vous rappeler la serre du jardin voisin, reprit-elle : il y avait de si belles fleurs, et vous les aimez tant !

— C'est vrai, c'est vrai, dit Laurent, qui semblait parler comme dans un rêve, les camélias surtout... Oui, j'adore les camélias.

— En ce cas, vous serez bien servi, car madame de S... les aime toujours, et j'ai vu, ce matin, qu'on remplissait la serre de nouvelles fleurs. Comme vous êtes lié avec elle, vous la verrez, je présume...

115

et vous pourrez alors servir d'intermédiaire entre elle et moi, quelles que soient les explications que nous ayons à échanger ensemble.

— Pardonnez-moi, madame, reprit Jacques avec une angoisse mêlée de fermeté. Je ne me chargerai point de cette négociation. »

Alice garda le silence ; ce qu'elle souffrait, ce que souffrait Laurent, était impossible à exprimer.

« La voilà donc, cette passion cachée qui le dévore, pensait Alice ; voilà la cause de sa tristesse, de son découragement, de son abnégation, de son éternelle rêverie ! Il a aimé cette femme dangereuse, il l'aime encore. Oh ! comme son nom le bouleverse ! comme l'idée de la revoir le charme et l'épouvante ! »

On annonça que le dîner était servi, et Laurent prit son chapeau pour s'esquiver. « Non, monsieur Laurent, lui dit Alice en posant sa main sur son bras, avec un de ces mouvements de courage désespéré qui ne viennent qu'aux émotions craintives, vous dînerez avec nous ; j'ai à vous parler. »

Ce ton d'autorité blessa le pauvre Jacques. Sa position subalterne, comme on se permet d'appeler dans les familles aristocratiques le rôle sacré de l'être qui se consacre à la plus haute de toutes les fonctions humaines, en formant le cœur et l'esprit des enfants (de ce qu'on a de plus cher dans la famille), ce rôle de pédagogue, asservi parfois et dominé jusqu'à un certain point par des exigences outrageantes, n'avait jamais frappé Laurent ; madame de T... l'avait appelé et accueilli dans sa maison, comme un nouveau membre de sa famille ; elle l'avait traité comme l'ami le plus respecté, comme quelque chose entre le fils et le frère. Cependant, depuis quelques semaines, cette

confiante intimité, au lieu de faire des progrès naturels, s'était insensiblement refroidie. La politesse et
les égards avaient augmenté à mesure qu'une certaine contrainte s'était fait sentir. Laurent en avait
beaucoup souffert. Dans sa modestie naïve, il
n'avait rien deviné, et, maintenant qu'un élan de
passion jalouse et désolée le retenait brusquement,
il s'imaginait être le jouet d'un caprice déraison-
nable, inouï. Sa fierté n'était pas seule en jeu, car lui
aussi il aimait, le pauvre Jacques, il était éperdument épris d'Alice, et son cœur se brisa au moment
où il eût dû s'épanouir.

« Vous voudrez bien me pardonner, dit-il d'un
ton un peu altier ; mais il m'est impossible,
madame, de me rendre maintenant à votre désir. »

En disant cela, les larmes lui vinrent aux yeux.
Trouver Alice cruelle lui semblait la plus grande des
douleurs qu'il pût supporter.

Alice le comprit ; et comme son fils revenait
auprès d'elle : « Félix, lui dit-elle avec un doux
sourire, engage donc notre ami à rester avec nous
pour dîner. Il me refuse ; mais il ne voudra peut-
être pas te faire cette peine. »

L'enfant, qui chérissait Laurent, le prit par les
deux mains avec une tendre familiarité, et l'entraîna
vers la table. Laurent se laissa tomber sur sa chaise.
Un regard d'Alice et le nom d'ami l'avaient vaincu.

Cependant ils furent mornes et contraints durant
tout le repas. L'expansive gaieté du jeune garçon
pouvait à peine leur arracher un sourire. Laurent
jetait malgré lui un regard distrait sur le jardin et
sur la petite porte du mur mitoyen qu'on apercevait
de sa place. Alice examinait et interprétait sa préoccupation dans le sens qu'elle redoutait le plus. Mais
il faut dire, pour bien montrer la droiture et la

fermeté du penchant de cette femme, que si elle s'était convaincue, dès le premier mot de Laurent, qu'il était bien le héros de l'aventure racontée par le beau cousin Adhémar, elle avait complètement rejeté de son souvenir les imputations outrageantes sur le caractère de Laurent. Laurent lui eût-il été moins cher, elle connaissait déjà bien assez son désintéressement et sa fierté d'âme pour regarder cette circonstance du récit d'Adhémar comme une calomnie gratuite ; mais quand on aime, on n'a pas besoin d'opposer la raison à des soupçons de cette nature. La pensée d'Alice ne s'y arrêta pas un instant.

Mais par quelle bizarre et douloureuse coïncidence ce dernier amant qu'Isidora avait eu à Paris, après mille autres, se trouvait-il donc le seul homme que la tranquille et sage Alice eût aimé en sa vie ?

Alice avait eu besoin d'appeler à son secours tout ce qu'elle avait de religion dans l'âme et de courage dans le caractère pour ne pas haïr le mari froid et dépravé auquel on l'avait unie à seize ans sans la consulter. Victime de l'orgueil et des préjugés de sa famille, elle avait pris le mariage en horreur et le monde en mépris. Elle avait tant souffert, tant rougi et tant pleuré dans sa première jeunesse, elle avait été si peu comprise, elle avait rencontré autour d'elle si peu de cœurs disposés à la respecter et à la plaindre, et au contraire tant de sots et de fats désireux de la flétrir en la consolant, qu'elle s'était repliée sur elle-même dans une habitude de désespoir muet et presque sauvage. Une violente réaction contre les idées de sa caste et contre les mensonges odieux qui gouvernent la société s'était opérée en elle. Elle s'était fait une vie de solitude, de lecture et de méditation, au milieu du monde. Lorsqu'elle y paraissait pâle et belle, ornée de fleurs et de diamants, elle avait l'air d'une victime allant au sacrifice ; mais c'était une victime silencieuse et recueillie, qui ne faisait plus entendre une plainte, qui ne laissait plus échapper un soupir.

La mort de son mari avait terminé un lent et odieux supplice ; mais à vingt ans, Alice était déjà si lasse de la vie, qu'elle l'abordait sans illusions, et qu'elle ne pouvait plus y faire un pas sans terreur. Les théories qu'on agitait autour d'elle soulevaient son âme de dégoût. Les hommes qu'elle voyait lui semblaient tous, et peut-être qu'ils étaient tous, en effet, des copies plus ou moins effacées du type révoltant de l'homme qui l'avait asservie. Enfin, elle ne pouvait plus aimer, pour avoir été forcée de haïr et de mépriser, dans l'âge où tout devait être confiance, abandon, respect.

Ce ne fut que dix ans plus tard qu'elle rencontra enfin un homme pur et vraiment noble, et il fallut pour cela que le hasard amenât dans sa maison et jetât dans son intimité un plébéien pauvre, sans ambition, sans facultés éclatantes, mais fortement et sévèrement épris des idées les meilleures et les plus vraies de son temps. Il n'y avait rien de miraculeux dans ce fait, rien d'exceptionnel dans le génie de Jacques Laurent. Cependant ce fait produisit un miracle dans le cœur d'Alice, et ce bon jeune homme fut bientôt à ses yeux le plus grand et le meilleur des êtres.

Ce sentiment l'envahit avec tant de charme et de douceur, qu'elle ne songea pas à y résister d'abord. Elle s'y livra avec délices, et si Jacques eût été tant soit peu roué, vaniteux ou personnel, il se serait aperçu qu'au bout de huit jours il était passionnément aimé.

Mais Jacques était particulièrement modeste. Il avait trop d'enthousiasme naïf et tendre pour les grandes âmes et les grandes choses : il ne lui en restait pas assez pour lui-même. Absorbé dans l'étude des plus belles œuvres de l'esprit humain, plongé dans la contemplation du génie des maîtres de l'éternelle doctrine de vérité, il se regardait comme un simple écolier, à peine digne d'écouter ces maîtres s'il eût pu les faire revivre, trop heureux de pouvoir les lire et les comprendre.

Naturellement porté à la vénération, il admira le cœur et l'esprit d'Alice, ce cœur et cet esprit que le monde ignorait, et qui se révélaient à lui seul. Il l'aima, mais il persista à se croire si peu de chose auprès d'elle, que la pensée d'être aimé ne put entrer dans son cerveau. Sa position précaire acheva de le rendre craintif, car la fierté ne va pas braver les affronts, et il eût rougi jusqu'au fond de l'âme si quelqu'un eût pu l'accuser d'être séduit par le titre et l'opulence d'une femme. L'homme le plus orgueilleux en pareil cas est le plus réservé, et, par la force des choses, il eût fallu, pour être devinée, qu'Alice eût le courage de faire les premiers pas. Mais cela était impossible à une femme dont la vie n'avait été que douleur, refoulement et contrainte. Elle aussi doutait d'elle-même, et à force d'avoir repoussé les hommages et les flatteries, elle était arrivée à oublier qu'elle était capable d'inspirer l'amour. Elle avait tant de peur de ressembler à ces galantes effrontées qui l'avaient fait si souvent rougir d'être femme !

Ils ne se devinèrent donc pas l'un l'autre, et malheur aux âmes altières qui appelleraient niaiserie la sainte naïveté de leur amour ! Ces âmes-là n'auraient jamais compris la vénération qui accompagne l'amour véritable dans les jeunes cœurs, et qui fait qu'on s'annihile soi-même dans la contemplation de l'être qu'on adore. Rarement deux âmes également éprises se rencontrent dans les romans plus ou moins complets dont la vie est traversée. C'est pourquoi celui-ci pourra paraître invraisemblable à beaucoup de gens. C'est pourtant une histoire vraie, malgré la vérité d'une foule d'histoires qui pourraient en combattre victorieusement la probabilité.

Aussitôt qu'Alice put voir clair dans son propre cœur, et cela ne fut pas bien long, elle interrogea avec effroi la manière d'être de Jacques avec elle. Elle y trouva une timidité qui augmenta la sienne et une tristesse qui lui fit craindre de se heurter contre un autre amour. La fierté légitime d'une âme complètement vierge la mit dès lors en garde contre elle-même ; elle veilla si attentivement sur ses paroles et sur sa contenance, que tout encouragement fut enlevé au pauvre Jacques. Il fit comme Alice, dans la crainte de paraître présomptueux et ridicule. Il aima en silence, et au lieu de faire des progrès, leur intimité diminua insensiblement à mesure que la passion couvait plus profonde dans leur sein.

L'intervention du personnage étrange d'Isidora dans cette situation fit porter à faux la lumière dans l'esprit d'Alice. Elle avait pressenti ou plutôt elle avait deviné que Jacques avait beaucoup et longtemps aimé une autre femme, elle se persuadait qu'il l'aimait encore, et, en supposant que cette femme était Isidora, elle ne se trompait que de date.

« Je veux tout savoir, se disait-elle ; voici enfin l'occasion et le moyen de me guérir. N'ai-je pas désiré ardemment et demandé à Dieu avec ferveur la force de ne rien espérer, de ne rien attendre de mon fol amour ? Ne me suis-je pas dit cent fois que le jour où je serais certaine que ce n'est pas moi qu'il aime, je retrouverais le calme du désintéressement ? Pourquoi donc suis-je si épouvantée de la découverte qui s'approche ? Pourquoi ai-je une montagne sur le cœur ?

— Vous trouvez ce lieu-ci très changé ? dit-elle en prenant le café avec lui sur la terrasse ornée de fleurs. Vous regrettez sans doute l'ancienne disposition ?

— Il y a beaucoup de changements en effet, répondit Jacques ; les deux pavillons vitrés qui forment des ailes au bâtiment n'existaient pas autrefois. Le jardin était dans un état complet d'abandon. C'est beaucoup plus beau maintenant, à coup sûr.

— Oui, mais cela vous plaît moins, avouez-le.

— Ce jardin désert et dévasté avait son genre de beauté. Celui-ci a moins d'ombre et plus d'éclat. Je le crois moins humide désormais, et partant beaucoup plus sain pour Félix.

— Le jardin d'à côté est plus vaste et lui conviendrait beaucoup mieux. Malheureusement la porte de communication est fermée ; et il est à craindre qu'elle ne se rouvre jamais entre ma belle-sœur et moi.

— Votre belle-sœur, madame ?...

— Eh oui, mademoiselle Isidora, aujourd'hui comtesse de S... A quoi donc pensez-vous, monsieur Laurent ? Je vous ai déjà dit...

— Ah ! il est vrai ; je vous demande pardon, madame !... »

Et Laurent perdit de nouveau contenance.

« Écoutez, mon ami, reprit Alice après l'avoir silencieusement examiné à la dérobée, vous avez, j'espère, quelque confiance en moi, et vous pouvez compter que vos aveux seront ensevelis dans mon cœur. Eh bien, il faut que vous me disiez en conscience ce que vous savez... ou du moins ce que vous pensez de cette femme. Ce n'est pas une vaine curiosité qui me porte à vous interroger : il s'agit pour moi de savoir si, à l'exemple de ma famille, je dois la repousser avec mépris, ou si, dirigée par des motifs plus élevés que ceux de l'orgueil et du préjugé, je dois l'admettre auprès de moi comme la veuve de mon frère.

— Vous m'embarrassez beaucoup, répondit Jacques après avoir hésité un instant ; je ne connais pas assez le monde, je ne puis pas assez bien juger la personne... dont il est question pour me permettre d'avoir un avis.

— Cela est impossible : si on n'a pas un avis formulé, décisif, on a toujours, sur quelque chose que ce soit, un sentiment, un instinct, un premier mouvement. Si vous refusez de me dire votre impression personnelle, j'en conclurai naturellement que vous ne prenez aucun intérêt à ce qui me touche, et que vous n'avez pas pour moi l'amitié que j'ai pour vous ; car, si vous m'adressiez une question relative à votre conscience et à votre dignité, je sens que je mettrais une extrême sollicitude à vous éclairer. »

Il y avait longtemps que madame de T... n'avait repris avec Jacques ce ton d'affectueux abandon, qui lui avait été naturel et facile dans les commencements, et qui maintenant devenait de plus en plus l'effort d'une passion qui veut se donner le change en se retranchant sur l'amitié. Jacques était si facile à tromper, qu'il crut l'amitié revenue ; et lui qui se persuadait être disgracié jusqu'à l'indifférence,

accueillit avec ivresse ce sentiment dont le calme
l'avait cependant fait souffrir. Il pâlit et rougit ; et
ces alternatives d'émotion sur sa figure mobile et
fraîche comme celle d'un enfant, l'embellissaient
singulièrement. Sa fine et abondante chevelure
blonde, la transparence de son teint, la timidité de
ses manières, contrastaient avec une taille élevée,
des membres robustes, un courage physique
extraordinaire ; sa main énorme, forte comme celle
d'un athlète, et cependant blanche et modelée
comme un beau marbre, eût été d'une haute signifi-
cation pour Lavater ou pour le spirituel auteur de
la *Chirognomonie*[1] ; son organisation douce et

---

1. M. d'Arpentigny a écrit, comme on sait, un livre fort
ingénieux sur la physionomie des mains. Nous croyons son
système très vrai et ses observations très justes, d'autant plus
qu'elles se rattachent à des formules de métaphysique très lucides
et très ingénieuses. Mais nous ne croyons pas ce système plus
exclusif que ceux de Gall et de Spurzheim. Lavater est le grand
esprit qui a embrassé l'ensemble des indices révélateurs de l'être
humain. Il n'a pas seulement examiné une portion de l'être, mais
il a esquissé un vaste système, dont chaque portion, étudiée en
particulier, est devenue depuis un système complet. La phréno-
logie et la chirognomonie sont traitées incidemment, mais avec
largeur, dans Lavater. En s'appliquant aux particularités de la
physionomie générale, chaque système amène un progrès, des
observations plus précises, des études plus approfondies, et de
nouvelles recherches métaphysiques. C'est sous ce dernier point
de vue que nous attachons de l'importance à de tels systèmes. En
général, le public n'y cherche qu'un amusement, une sorte d'ho-
roscope. Nous y voyons bien autre chose à conclure de la
relation de l'esprit avec la matière. Mais ce n'est pas dans une
note, et au beau milieu d'un roman, que nous pouvons développer nos idées à cet égard. L'occasion s'en retrouvera, ou
d'autres le feront mieux. En attendant, l'ouvrage de M. d'Arpentigny est à noter comme important et remarquable.

puissante, stoïque et tendre, était résumée tout entière dans cet indice physiologique.

Quand il osait lever ses limpides yeux bleus sur Alice, une flamme dévorante allait s'insinuer dans le cœur de cette jeune femme mais cet éclair d'audacieux désir s'éteignait aussi rapidement qu'il s'était allumé. La défiance de soi-même, la crainte d'offenser, l'effroi d'être repoussé, abaissaient bien vite la blonde paupière de Jacques ; et son sang, allumé jusque sur son front, se glaçait tout à coup jusqu'à la blancheur de l'albâtre. Alors sa timidité le rendait si farouche, qu'on eût dit qu'il se repentait d'un instant d'enthousiasme, qu'il en avait honte, et qu'il fallait bien se garder d'y croire. C'est qu'en se donnant sans réserve à toutes les heures de sa vie, il se reprenait malgré lui, et forçait les autres à se replier sur eux-mêmes. C'est ainsi qu'il repoussait l'amour de la timide et fière Alice, cette âme semblable à la sienne pour leur commune souffrance.

Ah ! pourquoi, entre deux cœurs qui se cherchent et se craignent, un cœur ami, un prêtre de l'amour divin, ou mieux encore une prêtresse, car ce rôle délicat et pur irait mieux à la femme ; pourquoi, dis-je, un ange protecteur ne vient-il pas se placer pour unir des mains qui tremblent et s'évitent, et pour prononcer à chacun le mot enseveli dans le sein de chacun ? Eh quoi ! il y a des êtres hideux dont les fonctions sans nom consistent à former par l'adultère, par la corruption, ou par l'intérêt sordide du mariage, de monstrueuses unions, et la divine religion de l'amour n'a pas de ministres pour sonder les cœurs, pour deviner les blessures et pour unir ou séparer sans appel ce qui doit être lié ou béni dans le cœur de l'homme et de la femme ? Mais où est la place de l'amour dans notre société, dans notre siècle surtout ? Il faut que les âmes fortes se fassent à elles-mêmes leur code moralisateur, et cherchent l'idéal à travers le sacrifice, qui est une espèce de suicide ; ou bien il faut que les âmes troublées succombent, privées de guide et de secours, à toutes les tentations fatales qui sont un autre genre de suicide.

Alice se sentit frémir de la tête aux pieds en rencontrant le regard enivré de Jacques ; mais la femme est la plus forte des deux dans ce genre de combat ; elle peut gouverner son sang jusqu'à l'empêcher de monter à son visage. Elle peut souffrir aisément sans se trahir, elle peut mourir sans parler. Et puis cette souffrance a son charme, et les amants la chérissent. Ces palpitations brûlantes, ces désirs et ces terreurs, ces élans immenses et ces strangulations soudaines, tout cela est autant d'aiguillons sous lesquels on se sent vivre, et l'on aime une vie pire que la mort. Il est doux, quand les vœux sont exaucés, de se rencontrer, de se retracer l'un à l'autre ce qu'on a souffert, et parfois alors on le regrette ! mais il est affreux de se le cacher éternellement et de s'être aimés en vain. Entre l'ivresse accablante et la soif inassouvie il y a toujours un abîme de douleur et de regret incommensurable. On y tombe de chaque rive. De quel côté est la chute la plus rude ?

Ainsi, lorsqu'on cherche à percer le nuage derrière lequel se tiennent cachées toutes les vérités morales, on se heurte contre le mystère. La société laisse la vérité dans son sanctuaire et tourne autour. Mais lorsqu'une main plus hardie cherche à soulever un coin du voile, elle aperçoit, non pas seulement l'ignorance, la corruption de la société, mais encore l'impuissance et l'imperfection de la nature humaine, des souffrances infinies inhérentes à notre propre cœur, des contradictions effrayantes, des faiblesses sans cause, des énigmes sans mot. Le chercheur de vérités est le plus faible entre les faibles, parce qu'il est à peu près seul. Quand tous chercheront et frapperont, ils trouveront et on leur ouvrira. La nature humaine sera modifiée et ennoblie par cet élan commun, par cette fusion de toutes les forces et de toutes les volontés, que décupleront la force et la volonté de chacun. Jusque-là que pouvez-vous faire, vous qui voulez savoir ? L'ignorance est devant vous comme un mur d'airain, et vous la portez en vous-même. Vous demandez aux hommes pourquoi ils sont fous, et vous sentez que vous-même vous n'êtes point sage. Hélas ! nous accusons la société de langueur, et notre propre cœur nous crie : Tu es faible et malade !

Mais je m'aperçois que je traduis au lecteur le griffonnage obscur et fragmenté des cahiers que Jacques Laurent entassait à cette époque de sa vie, dans un coin, et sans les relire ni les coordonner, comme il avait toujours fait. Ses notes et réflexions nous ont paru si confuses et si mystérieuses, que nous avons renoncé à en publier la suite.

Vaincu par l'insistance d'Alice, il ouvrit son cœur du moins à l'amitié, et lui raconta toute l'histoire que l'on a pu lire dans la première partie de ce récit, mais en peu de mots et avec des réticences, pour ne pas alarmer la pudeur d'Alice. « *Elle* était bonne et charitable, dit-il, cela est certain. Elle m'envoya, sans me connaître, de l'argent pour soulager la misère des malheureux qui ne pouvaient pas payer leur loyer au régisseur de cette maison. Le hasard me fit entrer dans ce jardin, alors abandonné, par cet appartement alors en construction. Un autre hasard me fit franchir la petite porte du mur et pénétrer dans la serre de l'autre enclos. Un dernier hasard, je suppose, l'y amena ; là je causai avec elle. Là je retournai deux fois, et je fus attendri, presque fasciné par le charme de son esprit, l'élévation de ses idées, la grandeur de ses sentiments. C'était la femme la plus belle, la plus éloquente et, à ce qu'il me semblait, la meilleure que j'eusse encore rencontrée. Ensuite...

— Ensuite, dit Alice avec une impétuosité contenue.

— Je la revis dans un bal.

— Au bal de l'Opéra ?

— Il ne tiendrait qu'à moi de croire que j'y suis en cet instant, reprit Laurent avec un enjouement forcé, car vous m'intriguez beaucoup, madame, par la révélation que vous me faites de mes propres secrets.

— C'était donc un secret, un rendez-vous ? Vous voyez, mon ami, que je ne sais pas tout.

— C'était encore un hasard. Je fus raillé par une femme impétueuse, hardie, éloquente autant que l'autre, mais d'une éloquence bizarre, pleine d'audace et d'effrayantes vérités.

— Comment *l'autre* ? Je ne comprends plus.

— C'était la même.

— Et laquelle triompha ?

— Toutes deux triomphèrent de mes sophismes philosophiques, toutes deux m'ouvrirent les yeux à certaines portions de la vérité, et firent naître en moi l'idée de nouveaux devoirs.

— Expliquez-vous, monsieur Laurent, vous parlez par énigmes.

— L'une, celle que j'avais vue vêtue de blanc au milieu des fleurs, représentait le sacrifice et l'abnégation ; l'autre, celle qui se cachait sous un masque noir et que j'entrevoyais à travers la poussière et le bruit, me représentait la révolte de l'esclave qui brise ses fers et la rage héroïque du blessé percé de coups qui ne veut pas mourir. Une troisième figure m'apparut qui réunissait en elle seule les deux autres aspects : c'était la force et l'accablement, le remords et l'audace, la tendresse et l'orgueil, la haine du mal avec la persistance dans le mal ; c'était Madeleine échevelée dans les larmes, et Catherine de Russie enfonçant sa couronne sur sa tête avec un terrible sourire. Ces deux femmes sont en elle : Dieu a fait la première, la société a fait la seconde.

— Vous m'effrayez et vous m'attendrissez en même temps, mon ami, dit Alice en détournant son visage altéré et en se penchant pour méditer. Cette femme n'est pas une nature vulgaire, puisqu'elle vous a fait une impression si profonde.

— La trace en est restée dans mon esprit et je ne voudrais pas l'effacer. Le spectacle de cette lutte et de cette douleur m'a beaucoup appris.

— Quoi, par exemple ?

— Avant tout, qu'il serait impie de mépriser les êtres tombés de haut.

— Et cruel de les briser, n'est-ce pas ?

— Oui, si en croyant briser l'orgueil on risque de tuer le repentir.

— Mais elle n'aimait pas mon frère ?

— La question n'est pas là. »

« Hélas ! pensa la triste Alice, c'est la chose qui

m'occupe le moins. » Et, en effet, la question pour elle était de savoir si Jacques aimait Isidora. « D'ailleurs, ajouta-t-elle, depuis trois ans que vous ne l'avez revue, elle a pu triompher des mauvais penchants ; car il y a trois ans que vous ne l'avez vue ?

— Oui, madame.

— Et sans doute elle vous a écrit pendant cet intervalle ?

— Jamais, madame.

— Mais, vous avez pensé à elle, vous avez pu établir un jugement définitif ?...

— J'y ai pensé souvent d'abord, et puis quelquefois seulement ; je ne suis pas arrivé à juger son caractère d'une manière absolue ; mais sa position, je l'ai jugée.

— C'est là ce qui m'intéresse, parlez.

— Sa position a été fausse, impossible ; elle trouvait dans sa vie le contraste monstrueux qui réagissait sur son cœur et sa pensée : ici le faste et les hommages de la royauté, là le mépris et la honte de l'esclavage ; au-dedans les dons et les caresses d'un maître asservi, au-dehors l'outrage et l'abandon des courtisans furieux. D'où j'ai conclu que la société n'avait pas donné d'autre issue aux facultés de la femme belle et intelligente, mais née dans la misère, que la corruption et le désespoir. La femme richement douée a besoin d'amour, de bonheur et de poésie. Elle n'en trouve que le semblant quand elle est forcée de conquérir ces biens par des moyens que la société flétrit et désavoue. Mais pourquoi la société lui rend-elle la satisfaction légitime impossible et les plaisirs illicites si faciles ? Pourquoi donne-t-elle l'horrible misère aux filles honnêtes et la richesse seulement à celles qui s'égarent ? Tout cela fournit bien matière à quelques réflexions, n'est-ce pas, madame ?

— Vous avez raison, Laurent, dit madame de T... avec une expansion douloureuse. Je tâcherai d'approfondir la vérité ; et s'il est vrai, comme on l'affirme, que, depuis trois ans, cette femme ait eu une conduite irréprochable, je l'aiderai à se réhabiliter. Dans le cas contraire, je l'éloignerai sans rudesse et sans porter à son orgueil blessé le dernier coup.

— A-t-elle donc essayé de se faire accueillir par vous, madame ? reprit Laurent, que cette idée jetait dans une véritable perplexité.

— Il me le semble, répondit Alice. J'ai là un billet d'elle, fièrement signé comtesse de S..., qu'elle m'a envoyé ce matin, et où elle me demande à remettre entre mes mains, et face à face, une lettre fort secrète de mon frère mourant. Je ne puis ni ne dois m'y refuser. Je vais donc la voir.

— Vous allez la voir ?

— Dans un quart d'heure elle sera ici ; je lui ai donné rendez-vous pour neuf heures. Vous voyez, monsieur Laurent, que j'avais besoin de réfléchir à l'accueil que je dois lui faire, et je vous remercie de m'avoir éclairée. Ayez la bonté d'emmener coucher mon fils ; il est bon qu'il ne voie pas cette femme, si moi-même je ne dois point la revoir. Je vous avoue que sa figure et sa contenance vont m'influencer beaucoup dans un sens ou dans l'autre. »

Laurent s'était levé avec effroi ; il avait pris son chapeau. Pour la première fois il était impatient de quitter Alice ; mais, à sa grande consternation, elle ajouta :

« Dans un quart d'heure mon enfant sera endormi ; je vous prie alors de revenir me trouver, monsieur Laurent.

— Permettez, madame, que cela ne soit pas, dit Laurent avec plus de fermeté qu'il n'en avait encore montré.

— Laurent, reprit madame de T... en se levant et en lui saisissant la main avec une sorte de solennité, je sais que cela n'est pas convenable, et que cela doit vous embarrasser, vous émouvoir beaucoup. Mais une telle circonstance de ma vie me pousse en dehors de toute convenance, et je ne m'arrêterais que devant la crainte de vous faire souffrir sérieusement. Dites, devez-vous souffrir en revoyant Isidora ?

— Je ne souffrirai que pour elle ; mais n'est-ce pas assez ? répondit Laurent avec assurance. Ne serai-je pas auprès de vous en face d'elle, comme un accusateur, un délateur ou un juge ? N'exigez pas de moi...

— Eh bien ?

— N'exigez pas que j'ajoute à l'humiliation de son rôle devant vous. Je crois qu'elle ne s'attend pas à vous trouver telle que vous êtes. Je crains que votre grandeur ne l'écrase.

— Ah ! vous l'aimez encore, Laurent ! s'écria madame de T... Puis elle ajouta avec un sourire glacé : Je ne vous en fais pas un crime. Moi, je vous demande, comme la première et peut-être la dernière preuve d'une amitié sérieuse, de revenir quand je vous ferai avertir. » Laurent s'inclina et sortit. Il eut la tentation de courir bien loin de l'hôtel pour se soustraire à cette étrange fantaisie si sérieusement énoncée. Mais il ne se sentit pas la force d'offenser celle qu'il aimait quand elle invoquait l'amitié, une amitié qu'il croyait à peine reconquise !

« Je les verrai ensemble, se disait Alice, je me convaincrai de ce que je sais déjà. Il me sera enfin prouvé qu'il l'aime, et alors je serai guérie. Quelle est la femme assez lâche ou assez faible pour aimer un homme occupé d'une autre femme, pour songer à engager une lutte honteuse, à méditer une conquête incertaine, et qui ne s'achète que par la coquetterie, c'est-à-dire par le moyen le plus contraire à la dignité et à la droiture du cœur ? »

Elle s'étonnait d'avoir eu le courage de provoquer cette crise décisive et d'avoir osé vaincre la répugnance de Jacques. Mais elle s'en applaudissait, et remerciait Dieu de lui en avoir donné la force. Et puis cependant une douleur mortelle envahissait toutes ses facultés, et elle s'efforçait de désirer qu'Isidora fût assez indigne de l'amour de Jacques pour qu'elle-même pût mépriser un pareil amour et oublier l'homme capable de le porter dans son sein. Mais on sait combien sont peu solides ces résolutions de hâter la fin d'un mal qu'on aime et d'une souffrance que l'on caresse.

Un domestique annonça madame la comtesse de S..., et Alice sentit comme le froid de la mort passer dans ses veines. Elle se leva brusquement, se rassit pendant que son étrange belle-sœur avançait avec lenteur vers la porte du salon, et se releva avec effort lorsque l'apparition de cet être problématique se fut tout à fait dessinée sur le seuil.

Au premier coup d'œil jeté sur cette femme, Alice ne fut frappée que de son assurance, de la grâce aisée de sa démarche et de sa miraculeuse beauté. Isidora n'était plus jeune : elle avait trente-cinq ans ; mais les années et les orages de sa vie avaient passé impunément sur ce front de marbre et sur ce visage d'une blancheur immaculée. Tout en elle était encore triomphant : l'œil large et pur, la souplesse des mouvements, la main sans pli, les formes arrondies sans pesanteur, les plans du visage fermes et nets, les dents brillantes comme des perles et les cheveux noirs comme la nuit ; on eût dit que la sérénité du ciel s'était laissé conquérir par la puissance de l'enfer ; c'était la Vénus victorieuse, chaste et grave en touchant à ses armes, mais enveloppée de ce mystérieux sourire qui fait douter si c'est l'arc de Diane ou celui de l'Amour dont il lui a plu de charger son bras voluptueux et fort.

Elle paraissait d'autant plus blanche et fraîche qu'elle était en noir, et ce deuil rigoureux était ajusté avec autant de bon goût et de simplicité noble qu'eût pu l'être celui d'une duchesse. Sa beauté avait d'ailleurs ce caractère de haute aristocratie que les patriciennes croient pouvoir s'attribuer exclusivement, en quoi elles se trompent fort.

Alice fit rapidement ces remarques et avança de quelques pas au-devant d'Isidora, d'autant plus décidée à être parfaitement calme et polie, qu'elle se sentait plus de méfiance et de trouble intérieur. Au fond de son âme, Isidora tremblait bien plus qu'Alice ; mais le fond de cette âme était, dans certains cas, un impénétrable abîme, et elle savait rendre sa confusion imposante. Elle accepta le fauteuil qu'Alice lui montrait à quelque distance du sien ; puis, se tournant d'un air quasi royal pour voir si elle était bien seule avec madame de T..., elle lui présenta en silence une lettre cachetée de noir, en disant : « C'est lui-même qui a mis là ce cachet de deuil, quatre heures avant de mourir. »

Alice, qui avait beaucoup aimé son frère, fut tout

à coup si émue qu'elle ne songea plus à observer la contenance de son interlocutrice. Elle ouvrit la lettre d'une main tremblante. C'était bien l'écriture du comte Félix, quoique pénible et confuse.

« Ma sœur, avait-il écrit, ils ont beau dire, je sens bien que je suis perdu, que rien ne me soulage, et que bientôt, peut-être, il faudra que je meure sans te revoir. Tu es le seul être que je voudrais avoir auprès de moi pour adoucir un moment pareil... peut-être affreux, peut-être indifférent comme tant de choses dont on s'effraie et qui ne sont rien. J'aurais préféré mourir d'un coup de pistolet, d'une chute de cheval, de quelque chose dont je n'aurais pas senti l'approche et les langueurs... Quoi qu'il en soit, je veux, pendant que j'ai bien ma tête et un reste de forces, te faire connaître mes derniers sentiments, mes derniers vœux, je dirais presque mes dernières volontés, si je l'osais. Alice, tu es un ange, et toi seule, dans ma famille et dans le monde, défendras ma mémoire, je le sais. Toi seule comprendras ce que je vais t'annoncer. J'aime depuis six ans une femme envers laquelle je n'ai pas toujours été juste, mais qui avait pourtant assez de droits sur mon estime pour que j'aie su cacher les torts que je lui supposais. Depuis trois ans que je voyage avec elle, mes soupçons se sont dissipés ; sa fidélité, son dévouement, ont satisfait à toutes mes exigences et triomphé de tous mes préjugés. Depuis un an que je suis malade, elle a été admirable pour moi, elle ne m'a pas quitté d'un instant, elle n'a pas eu une pensée, un mouvement qu'elle ne m'ait consacrés... Il faut abréger, car je suis faible, et la sueur me coule du front tandis que je t'écris... une sueur bien froide !... Depuis huit jours que j'ai épousé cette femme devant l'Église et devant la loi, et par un testament qu'elle ignore et qu'elle ne connaîtra qu'après ma mort, je lui lègue tous les biens dont je peux disposer. Elle n'a pas songé un instant à assurer son avenir. Généreuse jusqu'à la prodigalité, elle m'a montré un désintéressement inouï. Je mourrais malheureux et maudit si je la laissais aux prises avec la misère, lorsqu'elle m'a sacrifié une partie de sa vie. Ah ! si tu savais, Alice ! que ne puis-je te voir... te dire tout ce que ma main raidie par un froid terrible m'empêche de...

« Ma sœur, je suis presque en défaillance, mais mon esprit est encore net et ma volonté inébranlable. Je veux que ma femme soit ta sœur ; je te le demande au nom de Dieu ; je te le demande à genoux, près d'expirer peut-être ! Tous les autres la maudiront ! mais toi, tu lui pardonneras tout, parce qu'elle m'a véritablement aimé. Adieu, Alice, je ne vois plus ce que j'écris ; mais je t'aime et j'ai confiance... Adieu... ma sœur !...

« Ton frère, Félix, comte de S... »

Alice essuya ses joues inondées de larmes silencieuses, et resta quelque temps comme absorbée par la vue de ce papier, de cette écriture affaiblie, de cet adieu solennel et de ce nom de frère qui semblait exercer sur elle une majestueuse autorité d'affection.

Elle se retourna enfin vers Isidora et la regarda attentivement. Isidora était impassible et la regardait aussi, mais avec plus de curiosité que de bienveillance. Alice fut frappée de la clarté de ce regard sec et fier. Ah ! pensa-t-elle, on dirait qu'elle ne le pleure plus, et il y a si peu de temps qu'elle l'a enseveli ! on dirait même qu'elle ne l'a pas pleuré du tout !

« Madame, dit-elle, est-ce que vous ne connaissez pas le contenu de cette lettre ?

— Non, madame, répondit la veuve avec assurance ; lorsque mon mari me la remit, il eut peine à me faire comprendre que je devais ne la remettre qu'à vous, et ce furent ses dernières paroles. » Et Isidora ajouta en baissant la voix comme si de tels souvenirs lui causaient une sorte de terreur : « Son agonie commença aussitôt, et quatre heures après... » Elle se tut, ne pouvant se résoudre à rappeler l'image de la mort.

« Mon frère vous avait-il quelquefois parlé de moi, madame ? reprit Alice, qui l'observait toujours.

— Oui, madame, souvent.

— Et ne puis-je savoir ce qu'il vous disait ?

— Lorsqu'il était malade d'irritation nerveuse, il avait de grands accès de scepticisme et presque de haine contre le genre humain tout entier...

— Et, l'on m'a dit, contre notre sexe particulièrement ? »

Isidora se troubla légèrement ; puis elle reprit aussitôt : « Dans ces moments-là, il exceptait une seule femme de la réprobation.

— Et c'était vous, sans doute, madame ?

— Non, madame, répondit Isidora, d'un accent de franchise courageuse : c'était vous. Ma sœur est un ange, disait-il ; ma sœur n'a jamais eu un seul instant, dans toute sa vie, la pensée du mal.

— Mais, madame... cet éloge exagéré, sans doute, ne renfermait-il pas un reproche muet contre quelque autre femme ?

— Vous voulez dire contre moi ? Écoutez, madame, reprit Isidora avec une audace presque majestueuse, je ne suis pas venue ici pour me confesser des reproches justes ou injustes que la passion d'un homme a pu m'adresser. Le récit de pareils orages épouvanterait peut-être votre âme tranquille. Je me crois assez justifiée par la preuve de haute estime que votre frère m'a donnée en m'épousant. Je ne sais pas ce que contient cette lettre ; j'en ai respecté le secret et j'ai rempli ma mission. Je n'ai jamais eu l'intention de me prêter à un interrogatoire, quelque gracieux et bienveillant qu'il pût sembler... »

En parlant ainsi, Isidora se levait avec lenteur, ramenait son châle sur ses épaules, et se disposait à prendre congé. « Pardon, madame, reprit Alice, qui, choquée de sa raideur, voulait absolument tenter une dernière épreuve : soyez assez bonne pour prendre connaissance de cette lettre que vous m'avez remise. »

Elle présenta la lettre à Isidora, et approcha d'elle un guéridon et une bougie, voulant observer quelle impression cette lecture produirait sur son impénétrable physionomie.

Isidora parut éprouver une vive répugnance à subir l'épreuve ; elle était venue armée jusqu'aux dents, elle craignait de s'attendrir en présence de témoins. Cependant, comme elle ne pouvait refuser, elle se rassit, posa la lettre sur le guéridon, et, baissant la tête sous son voile, comme si elle eût été myope, elle déroba entièrement son visage aux investigations d'Alice.

L'idée de la mort était si antipathique à cette nature vivace, le spectacle de la mort lui avait été si redoutable, cette lettre lui rappelait de si affreux souvenirs, qu'elle ne put y jeter les yeux sans frissonner. Des tressaillements involontaires trahirent son angoisse ; et quand elle eut fini :

« Pardon, madame, dit-elle à Alice ; je suis obligée de recommencer, je n'ai rien compris, je suis trop troublée. »

Troublée ! pensait Alice ; elle ne peut même pas dire *émue* ! Si son âme est aussi froide que ses paroles, quelle âme de bronze est-ce là ?

Isidora relut la lettre avec un imperceptible tremblement nerveux ; puis elle abaissa son voile sur son visage, se releva, et fit le geste de rendre le papier à sa belle-sœur ; mais tout à coup elle chancela, retomba sur son fauteuil, et, joignant ses mains crispées, elle laissa échapper une sorte de cri, un sanglot sans larmes, qui révélait une angoisse profonde, une mystérieuse douleur.

La bonne Alice n'en demandait pas davantage. Dès qu'elle la vit souffrir, elle s'approcha d'elle, prit ses deux mains, qu'elle eut quelque peine à désunir, et, se penchant vers elle avec un reste d'effroi :

« Pardonnez-moi d'avoir rouvert cette plaie, lui dit-elle d'une voix caressante ; mais n'est-ce pas devant moi et avec moi que vous devez pleurer ?

— Avec vous ? s'écria la courtisane effarée. »

Puis, la regardant en face, elle vit cette douce et bienfaisante figure qui s'efforçait de lui sourire à travers ses larmes.

Ce fut comme un choc électrique. Il y avait peut-être vingt ans qu'Isidora n'avait senti l'étreinte affectueuse, le regard compatissant d'une femme pure ; il y avait peut-être vingt ans qu'elle raidissait son âme orgueilleuse contre tout insultant dédain, contre toute humiliante pitié. Malgré ce que Félix lui avait dit de la bonté de sa sœur, et peut-être même à cause de ce respect enthousiaste qu'il avait pour Alice, Isidora était venue la trouver, le cœur disposé à la haine. On ne sait pas ce que c'est que le mépris d'une femme pour une femme. Pour la première fois depuis qu'elle était tombée dans l'abîme de la corruption, Isidora recevait d'une femme honnête (comme ses pareilles disent avec fureur) une marque d'intérêt qui ne l'humiliait pas. Tout son orgueil tomba devant une caresse. La glace dont elle s'était cuirassée se fondit en un instant. Toutes les facultés aimantes de son être se réveillèrent ; et, passant d'un excès de réserve à un excès d'expansion, ainsi qu'il arrive à ceux qui luttent depuis longtemps, elle se laissa tomber aux pieds d'Alice, elle embrassa ses genoux avec transport, et s'écria à plusieurs reprises, au milieu de sanglots et de cris étouffés :

« Mon Dieu ! que vous me faites de bien ! Mon Dieu ! que je vous remercie ! »

En voyant enfin des torrents de larmes obscurcir ces beaux yeux, dont l'audacieuse limpidité l'avait consternée, Alice sentit s'envoler toutes ses répugnances. Elle releva la pécheresse et, la pressant sur son sein, elle osa baiser ses joues inondées de pleurs.

L'effusion d'Isidora ne connut plus de bornes ; elle était comme ivre, elle dévorait de baisers les mains de sa jeune sœur, comme elle l'appelait déjà intérieurement. « Une femme, disait-elle avec une sorte d'égarement, une amie, un ange ! ô mon Dieu ! j'en mourrai de bonheur, mais je serai sauvée ! » Son enthousiasme était si violent qu'il effraya bientôt Alice. Dans ces âmes sombres, la joie a un caractère fébrile, que les âmes tendres et chastes ne peuvent pas bien comprendre. Et cependant rien n'était plus chaste que la subite passion de cette courtisane pour l'angélique sœur qui lui rouvrait le chemin du ciel. Mais ce brusque retour à l'attendrissement et à la confiance, bouleversait son âme trop longtemps froissée. Elle ne pouvait passer de l'amer désespoir à la foi souriante qu'en traversant un accès de folie. Elle en fut tout à coup comme brisée, et se jetant sur un sopha : « J'étouffe, dit-elle, je ne suis pas habituée aux larmes, il y a si longtemps que je n'ai pleuré ! Et puis, je ne croyais pas pouvoir jamais sentir un instant de joie... Il me semble que je vais mourir. »

En effet, elle devint d'une pâleur livide, et Alice fut effrayée de voir ses dents serrées et sa respiration suspendue. Elle craignit une attaque de nerfs, et sonna précipitamment sa femme de chambre.

La femme de chambre, au lieu de venir, courut à l'appartement du jeune Félix, où se tenait Jacques Laurent dans l'attente de son sort.

L'enfant dormait, Jacques agité s'efforçait de lire. La femme de chambre le pria de se rendre auprès de Madame. Tel était l'ordre qu'elle avait reçu de sa maîtresse un quart d'heure auparavant ; et, dans son émotion, Alice avait oublié que le coup de sonnette devait être le signal de cet avertissement donné à Jacques. Voilà pourquoi au bout de cinq minutes, au lieu de voir entrer sa femme de chambre, elle vit entrer Laurent.

Ou plutôt elle ne le vit pas. Il s'avançait timidement, et Alice tournait le dos à la porte par où il entra. Agenouillée près de sa belle-sœur, elle essayait de ranimer ses mains glacées. Cependant Isidora n'était point évanouie. Morne, l'œil fixe, et le sein oppressé, il semblait qu'elle fût retombée dans le désespoir, faute de puissance pour la joie. La douce Alice semblait la supplier de faire un nouvel effort pour chasser le démon. Elle semblait prier pour elle, tout en la priant elle-même de se laisser sauver.

Jacques s'attendait si peu à un tel résultat de l'entrevue de ces deux femmes, qu'il resta comme pétrifié de surprise devant l'admirable groupe qu'elles formaient devant lui. Toutes deux en deuil, toutes deux pâles : l'une toute semblable à un ange de miséricorde, l'autre à l'archange rebelle qui mesure l'espace entre l'abîme et le firmament.

Cependant l'habitude de s'observer et de se contraindre était si forte chez cette dernière, qu'elle y obéissait encore machinalement. Elle fut la première à s'apercevoir du léger bruit que fit l'entrée de Jacques, et, sortant de sa torpeur par un grand effort, elle recouvra la parole. « Je suis insensée, dit-elle à voix basse à sa belle-sœur. L'état où je suis me rendrait importune si je restais plus longtemps. Permettez-moi de m'en aller tout de suite. Il vous arrive du monde, et je ne veux pas qu'on me voie chez vous. Oh ! à présent que je vous connais, je vous aime, et je ne veux pas vous exposer à des chagrins pour moi ; j'aimerais mieux ne vous revoir jamais. Mais je vous reverrai, n'est-ce pas ? Oh ! permettez-moi de revenir en secret ! Je vous le demanderais à genoux si nous étions seules.

— Je veux que vous reveniez, répondit Alice en l'aidant à se lever, et bientôt j'espère que ce ne sera plus en secret. Pendant quelques jours encore permettez-moi de causer seule, librement avec vous.

— Quand ordonnez-vous que je revienne ? dit Isidora, soumise comme un enfant.

— Si je croyais vous trouver seule chez vous...

— Vous me trouverez toujours seule.

— A certaines heures ? Lesquelles ?

— A toutes les heures. Avec l'espérance de vous voir un instant, je fermerai ma porte toute la journée.

— Mais quels jours ?

— Tous les jours de ma vie s'il le faut, pour vous voir un seul jour.

— Mon Dieu ! que vous me touchez ! que vous me paraissez aimante !

— Oh ! je l'ai été, et je le deviendrai si vous voulez m'aimer un peu. Mais ne dites rien encore ; ce serait de la pitié peut-être. Tenez, vous ne pouvez pas venir chez moi ostensiblement, cela peut attirer sur vous quelque blâme. Je sais qu'on a une détestable opinion de moi dans votre famille. Je croirais que je la mérite si vous la partagiez. Mais je ne veux pas que mon bon ange souffre pour le bien qu'il veut me faire. Venez chez moi par les jardins. Il y a une petite porte de communication dans votre mur ; près de la porte une serre remplie de fleurs, où vous pouvez vous tenir sans que personne vous voie, et où vous me trouverez toujours occupée à vous aimer et à vous attendre. »

Malgré tout ce qu'il y avait d'affectueux dans ces paroles, le souvenir de cette petite porte, de ce mur mitoyen et de cette serre fut un coup de poignard qui réveilla les douleurs personnelles d'Alice. Elle se rappela Jacques Laurent, tourna brusquement la tête, et le vit au fond de l'appartement où il s'était timidement réfugié, tandis qu'elle conduisait lentement Isidora vers l'issue opposée, en parlant bas avec elle. Elle promit, mais sans s'apercevoir cette fois de la joie et de la reconnaissance d'Isidora. Enfin, voyant que celle-ci sortait et se soutenait à peine, tant l'émotion l'avait brisée, elle appela Jacques avec un sentiment de grandeur et de jalousie indéfinissable.

« Mon ami, lui dit-elle, donnez donc le bras à ma belle-sœur, qui est souffrante, et conduisez-la à sa voiture. »

« Sa belle-sœur ! pensa la courtisane. Elle ose m'appeler ainsi devant un de ses amis ! Elle n'en rougit pas ! » et elle revint vers Alice pour la remercier du regard et saisir une dernière fois sa main qu'elle porta à ses lèvres. Dans son émotion délicieuse, elle vit Jacques confusément, sans le regarder, sans le reconnaître, et accepta son bras, sans pouvoir détacher ses yeux du visage d'Alice. Et comme Jacques, embarrassé de sa préoccupation, lui rappelait qu'il la conduisait à sa voiture :

« Je suis à pied, dit-elle. Quand on demeure porte à porte ! Et, tenez, si la petite porte du jardin n'est pas condamnée, ce sera beaucoup plus court par là.

— Je vais sonner pour qu'on aille ouvrir », dit Alice ; et elle sonna en effet. Mais son âme se brisa en voyant Isidora, appuyée sur le bras de Jacques, descendre le perron du jardin, et se diriger vers le lieu de leurs anciens rendez-vous. Elle eut la pensée de les suivre. Rien n'eût été plus simple que de reconduire elle-même sa belle-sœur par ce chemin ; rien ne lui parut plus monstrueux, plus impossible que cet acte de surveillance, tant il lui répugna. Elle ne pouvait pas supposer qu'Isidora n'eût pas reconnu Jacques. « Comme elle se contient jusqu'au milieu de l'attendrissement ! se disait-elle. Et lui, comme il a paru calme ! Quelle puissance dans une passion qui se cache ainsi ! Ne sais-je pas moi-même que plus l'âme est perdue, plus l'apparence est sauvée ? »

Elle s'accouda sur la cheminée, l'œil fixé sur la pendule, l'oreille tendue au moindre bruit, et comptant les minutes qui allaient s'écouler entre le départ et le retour de Jacques.

Isidora et Jacques marchaient sans se parler. Elle était plongée dans un attendrissement profond et délicieux, et ne songeait pas plus à regarder l'homme qui lui donnait le bras que s'il eût été une machine. Il s'applaudissait d'avoir échappé à l'embarras d'une reconnaissance, et, pensant à la bonté d'Alice, lui aussi, il se gardait bien de rompre le silence ; mais un hasard devait déjouer cette heureuse combinaison du hasard. Le domestique qui marchait devant eux s'était trompé de clef, et lorsqu'il l'eut vainement essayée dans la serrure, il s'accusa d'une méprise, posa sur le socle d'un grand vase de terre cuite, destiné à contenir des fleurs, la bougie qu'il tenait à la main, et se prit à courir à toutes jambes vers la maison pour rapporter la clef nécessaire.

Jacques Laurent resta donc tête à tête avec son ancienne amante sous l'ombrage de ces grands arbres qu'il avait tant aimés, devant cette porte qui lui rappelait leur première entrevue, et dans une situation tout à fait embarrassante pour un homme qui n'aime plus. L'air d'un soir chargé d'orage, c'est-à-dire lourd et chaud, ne faisait pas vaciller la flamme de la bougie, et son visage se trouvait si bien éclairé qu'au premier moment Isidora devait le reconnaître, à moins que, dans la foule de ses souvenirs, le souvenir d'un amour si promptement satisfait, si promptement brisé, pût ne pas trouver place parmi tant d'autres.

Il affectait de détourner la tête, cherchant ce qu'il avait à dire, ou plutôt ce qu'il pouvait se dispenser de dire pour ne pas manquer à la bienséance. Offrir à sa compagne préoccupée de la conduire à un banc en attendant le retour du domestique, lui demander pardon de ce contretemps, rien ne pouvait se dire en assez peu de mots pour que sa voix ne risquât pas de frapper l'attention. Il crut sortir d'embarras en apercevant une de ces chaises de bois qu'on laisse dans les jardins, et il fit un mouvement pour quitter le bras de madame de S... afin d'aller lui chercher ce siège. Ce pouvait être une politesse muette. Il se crut sauvé. Mais tout à coup il sentit son bras retenu par la main d'Isidora qui lui dit avec vivacité :

« Mais, monsieur, je vous connais, vous êtes... Mon Dieu, n'êtes-vous pas...

— Je suis Jacques Laurent, répondit avec résignation le timide jeune homme, incapable de soutenir aucune espèce de feinte, et jugeant d'ailleurs qu'il était impossible d'éviter plus longtemps cette crise délicate. Puis, comme il sentit le bras d'Isidora presser le sien impétueusement, un sentiment de méfiance, et peut-être de ressentiment, lui rendit le courage de sa fierté naturelle. « Probablement, madame, lui dit-il, ce nom est aussi vague dans vos souvenirs que les traits de l'homme qui le porte.

— Jacques Laurent, s'écria madame de S..., sans répondre à ce froid commentaire, Jacques Laurent

ici, chez madame de T...! et dans cet endroit!...
Ah! cet endroit qui m'a fait vous reconnaître, je ne
l'ai pas revu sans une émotion terrible, et j'ai été
comme forcée de vous regarder, quoique... Jacques,
vous ici avec moi!... Mais comment cela se fait-il?...
Que faisiez-vous chez madame de T...? Vous la
connaissez donc?... Oui : elle vous a appelé son
ami... Vous êtes son ami!... Son amant peut-être!...
Écoutez, Jacques, écoutez, il faut que je vous parle,
ajouta-t-elle avec précipitation en voyant revenir le
serviteur avec la clef.

— Non, pas maintenant, dit Jacques troublé et
irrité ; surtout pas après le mot insensé que vous
venez de dire...

— Ah! reprit-elle en baissant la voix à mesure
que le domestique s'approchait, quel accent d'indignation ! Je crois entendre la voix de Jacques au bal
masqué lorsque, pour l'éprouver, je le supposais
l'amant de Julie ! Au nom de la pauvre Julie qui est
morte dans tes bras, Jacques, écoute-moi un instant,
suis-moi. Mon avenir, mon salut, ma consolation
sont dans vos mains, monsieur... Si vous êtes un
homme juste et loyal comme vous l'étiez jadis... si
vous êtes un homme d'honneur, parlez-moi, suivez-
moi... ou je croirai que vous êtes mon ennemi, un
lâche ennemi comme les autres ! Eh bien ! n'hésitez
donc pas ! dit-elle encore pendant que le domestique faisait crier la clef dans la serrure rouillée ;
rien de plus simple que vous me donniez le bras
jusqu'à mes appartements. Rien de plus grossier
que de me laisser traverser seule l'autre jardin. » Et
elle l'entraîna.

« Je vais attendre Monsieur ? dit le vieux Saint-
Jean avec cet admirable accent de malicieuse bêtise

qu'ont, en pareil cas, ces espions inévitables donnés par la civilisation.

— Non, répondit Jacques avec sa douceur et sa bonhomie ordinaires, laissez la clef, je vais la rapporter en revenant.

— En ce cas, je vais la mettre en dehors pour que Monsieur puisse revenir. »

Jacques n'écoutait plus. Emporté comme par le vent d'orage, il suivait Isidora, qui, parvenue au milieu du jardin, tourna brusquement du côté de la serre, et l'y fit entrer avec une sorte de violence. Elle ne s'arrêta qu'auprès de la cuvette de marbre, et de ce banc garni de velours bleu, sur lequel elle s'était assise près de lui pour la première fois. « Ne dites rien, Jacques ! s'écria-t-elle en le forçant de s'asseoir à ses côtés, ne préjugez rien, ne pensez rien, jusqu'à ce que vous m'ayez entendue. Je vous connais, je sais que des questions ne vous arracheraient rien : je ne vous en ferai point. Je vois que vous avez de la répugnance à venir ici, de l'inquiétude et de l'impatience à y rester !... Je ne vous retiendrai pas longtemps. Je crois deviner... mais peu importe. Ce que je dirai sera vrai ou faux, vous ne répondrez pas, mais voilà ce que j'imagine, il faut que vous le sachiez pour comprendre ma situation et ma conduite. Vous êtes intimement lié avec madame de T..., vous êtes entré chez elle tout à l'heure sans être annoncé, comme un habitué de la maison..., dans sa chambre... car c'était sa chambre ou son boudoir, je n'ai pas bien regardé... Vous l'aimez ! car vous tremblez ; oui, je sens trembler votre main qui repousse en vain le mienne. Elle vous aime peut-être ! Bah ! il est impossible qu'elle ne vous aime pas ! Que ce soit amour ou amitié, elle

vous estime, elle vous écoute, elle vous croit ! Vous
lui avez parlé de moi ; elle vous a consulté ! Vous lui
avez dit... Mais non, vous ne lui avez pas dit de mal
de moi, sa conduite me le prouve. Sa conduite
envers moi est admirable, c'est dire que la vôtre
entre elle et moi l'a été aussi... Jacques, je vous
remercie... Je parle comme dans un rêve, et je
comprends à mesure que je parle... Mon premier
mouvement, en vous voyant, a été la peur, châtiment d'une âme coupable ! Mais mon second mouvement est celui de ma vraie nature, nature
confiante et droite, que l'on a faussée et torturée.
Aussi mon second mouvement est la confiance, la
gratitude... une gratitude enthousiaste ! Jacques !
vous êtes toujours le meilleur des hommes, et vous
avez pour maîtresse la meilleure des femmes ! Ce
bonheur vous était dû ; en homme généreux, vous
avez voulu me donner du bonheur aussi, et, grâce
à vous, cette femme est mon amie ! Oh ! que vous
êtes grands tous les deux ! »

Et, dans un élan irrésistible, Isidora pencha son
visage baigné de larmes jusqu'à effleurer de ses
lèvres tremblantes les mains du craintif jeune
homme.

« Laissez, madame, laissez, répondit-il, effrayé de
l'émotion qui le gagnait et en faisant un effort pour
s'éloigner d'elle, autant que le permettait la largeur
du siège de marbre ; vous êtes dangereuse jusque
dans vos meilleurs mouvements, et je ne peux pas
vous écouter sans frayeur. Vous êtes hardie et vous
aimez à profaner, jusque dans vos élans d'amour
pour les choses saintes. Otez de votre imagination
audacieuse l'idée de cette liaison intime avec
madame de T... Sachez, en un mot, que je suis le

précepteur de son fils, et, par conséquent, le commensal et l'habitué nécessaire de sa maison. Je venais lui parler de son enfant, quand je suis entré étourdiment dans son petit salon. Je ne me permets pas d'autres sentiments envers elle qu'un dévouement respectueux, et l'estime qu'on doit à une femme éminemment vertueuse : et, quant à celui qu'elle peut avoir pour moi, c'est la confiance en mes principes et la bonne opinion qu'une personne sensée doit avoir de l'homme à qui elle confie l'âme de son enfant. Quel démon vous pousse à bâtir un roman extravagant, impossible ? Est-ce là le respect et l'amour que vous témoigniez tout à l'heure à madame de T... par vos humbles caresses ? A peine l'émotion que sa bonté vous cause est-elle dissipée, que déjà vous l'assimilez à toutes les femmes que vous connaissez ; apprenez à connaître, madame, apprenez à respecter, si vous voulez apprendre à aimer. »

Sauf l'amour avoué, sauf le bonheur des deux amants, la pauvre Isidora, dans sa candeur cynique, avait deviné juste, et c'était en effet un bon mouvement qui l'avait poussée à penser tout haut ; mais elle ne savait pas qu'en s'exprimant ainsi, elle mettait la main sur des plaies vives. L'indignation de Jacques lui fit un mal affreux, et la haine de la pudeur et de la vertu lui revint au cœur plus amère, plus douloureuse que jamais.

« Quel langage ! quelle colère et quel mépris ! dit-elle en se levant et en regardant Jacques avec un sombre dédain. Vous niez l'amour et vous exprimez un pareil respect ! Le nom de votre idole vous paraît souillé dans ma bouche, et son image dans ma pensée ! Vous n'êtes pas habile, Jacques ; vous ne savez pas que les femmes comme moi sont impossibles à tromper sur ce point. Le respect, c'est l'amour ! En vain vous faites une distinction affectée de ces deux mots : quiconque n'aime pas, méprise, quiconque aime vénère ; il n'y a pas deux poids et deux mesures pour connaître le véritable amour. Moi aussi j'ai été aimée une fois dans ma vie ; est-ce que vous l'avez oublié, Jacques ? Et comment l'ai-je su ? c'est parce qu'on ne le disait pas, c'est parce qu'on n'eût jamais osé me l'avouer, c'est enfin parce qu'on me respectait. Et cela se passait ici, il y a trois ans ; c'est ici que, sur ce banc, osant à peine effleurer mon vêtement, et frémissant de crainte quand, en touchant ces fleurs, votre main rencontrait la mienne, vous seriez mort plutôt que de vous déclarer, vous seriez devenu fou plutôt que de vous avouer à vous-même que vous m'aimiez... Mais voilà que vous êtes devenu un homme civilisé à mon égard, c'est-à-dire que vous me méprisez, et que vous exaltez devant moi une autre femme ! C'est tout simple, Jacques, c'est tout simple, vous ne m'aimez plus et vous l'aimez... Je m'en doutais, je le sais à présent. En vérité, Jacques, vous êtes bien maladroit, et le secret d'une femme *vertueuse*, comme vous dites, est en grand danger dans vos mains.

— Est-ce là tout ce que vous aviez à me dire ? reprit Jacques irrité, en se levant à son tour. Je croyais bénir le jour où je vous retrouverais digne d'une noble et fidèle amitié ; mais je vois bien que Julie est morte, en effet, comme vous le disiez tout à l'heure, et qu'il ne me reste plus qu'à pleurer sur elle.

— Ah ! malheureux, ne blasphème pas ! s'écria-t-elle en se tordant les mains ; que ne peux-tu dire la vérité ? Pourquoi Julie n'est-elle pas morte et ensevelie à jamais au fond de ton cœur et du mien ? Mais l'infortunée ne peut pas mourir. Cette âme pure et généreuse s'agite toujours dans le sein meurtri et souillé d'Isidora ; elle s'y agite en vain, personne ne veut lui rendre la vie ; elle ne peut ni vivre ni mourir. Vraiment je suis un tombeau où l'on a enfermé une personne vivante. Ah ! philosophe sans intelligence et sans entrailles, tu ne comprends rien à un pareil supplice, et cette agonie te fait sourire de pitié. Sois maudit, toi que j'ai tant aimé, toi que seul parmi tous les hommes, je croyais capable d'un grand amour ! puisses-tu être puni du même supplice ! puisses-tu te survivre à toi-même et conserver le désir du bien, après avoir perdu la foi ! »

Son voile noir était tombé sur ses épaules, et sa longue chevelure, déroulée par l'humidité de la nuit, flottait éparse sur sa poitrine agitée. La lune, en frappant sur le vitrage de la serre, semait sur elle de pâles clartés dont le reflet bleuâtre la faisait paraître plus belle et plus effrayante. Elle ressemblait à lady Macbeth évoquant dans ses malédictions et dans ses terreurs les esprits malfaisants de la nuit.

Le cœur de Jacques se rouvrit à la pitié et à une sorte d'admiration pour ce principe d'amour et de grandeur qu'une vie funeste n'avait pu étouffer en elle ; une âme vulgaire ne pouvait pas souffrir ainsi.

« Julie, lui dit-il, en lui prenant le bras avec énergie, reviens donc à toi-même ; s'il ne faut pour cela que rencontrer un cœur ami, ne l'as-tu pas trouvé aujourd'hui ? N'étais-tu pas tout à l'heure affectueusement pressée dans les bras d'un être

généreux, excellent entre tous ? Cette femme qui, en
dépit des préjugés du monde, t'a nommée sa sœur
et t'a promis de venir ici pour te consoler et te
bénir, n'est-ce donc pas un secours que le ciel
t'envoie ? N'est-ce donc pas un messager de consolation qui doit briser la pierre de ton cercueil ? Ta
fierté implacable, qui repoussait jadis le pardon de
l'amour, refusera-t-elle la nouvelle alliance de
l'amitié ? Ne m'attribuez pas les généreux mouvements de cette noble femme. Son cœur n'a pas
besoin d'enseignement ; mais sachez bien que si elle
en avait besoin, et si j'avais sur elle l'influence qu'il
vous a plu tout à l'heure de m'attribuer, je voudrais
que vous dussiez le repos de votre conscience et la
guérison de vos blessures à cette main de femme,
plutôt qu'à celle d'aucun homme. »

L'exaspération d'Isidora était déjà tombée,
comme le vent capricieux de l'orage lorsqu'il s'abat
sur les plantes et semble s'endormir en touchant la
terre. Mobile comme l'atmosphère, en effet, elle
écoutait Jacques d'un air moitié soumis, moitié
incrédule.

« Tu as peut-être raison, dit-elle, peut-être ! Je
n'en sais rien encore, j'ai besoin de me recueillir, de
m'interroger. Je suis partagée entre deux élans
contraires : l'un, qui me pousse aux genoux de cette
femme au front d'ange, l'autre, qui me fait haïr et
craindre la protection de cette dame à la voix de
sirène. Une dévote, peut-être ! qui veut me mener à
l'église et me présenter au monde des sacristies,
comme un trophée de sa béate victoire. Ah ! que
sais-je ? En Italie aussi, des femmes de qualité ont
voulu me convertir. Elles m'appelaient dans leur
oratoire, et m'eussent chassée de leur salon. Fau-

drait-il passer par le confessionnal et la communion pour entrer chez ma belle-sœur? Ah! jamais! jamais de bassesse! de l'insolence, de la haine, des outrages, je le veux bien, mais de l'hypocrisie et de la honte, jamais!

— Et vous avez raison, reprit Jacques; à ces craintes, je vois que vous êtes toujours injuste; mais, à ces résistances, je vois que vous avez la vraie fierté. Mais me croyez-vous donc enrôlé parmi les jésuites de salons, que vous me supposez capable de vous engager dans de si lâches intrigues? Sachez que madame de T... n'est pas dévote.

— Pardonnez-moi tout ce que je dis, Jacques; vous voyez bien que je n'ai pas ma tête. Ma pauvre tête que, ce matin, je croyais si forte et si froide, elle a été brisée, ce soir, par trop d'émotions. Cette femme m'a enivrée avec sa bonté et ses caresses, et toi, tu m'as tuée avec ta figure douce et tes blonds cheveux, m'apparaissant tout à coup comme le spectre du passé devant cette porte, dans ce lieu fatal où je t'ai vu pour ne jamais t'oublier. Ah! que je t'ai aimé, Jacques! Tu ne l'as jamais su, et tu as pu ne pas le croire. Ma conduite avec toi t'a paru odieuse. Elle était sage, elle était dévouée; je sentais que je n'étais pas digne de toi, que tu ne pourrais jamais oublier ma vie, qu'en devenant passionné tu allais devenir le plus malheureux des hommes. Je n'ai pas voulu changer en une vie de larmes ce souvenir d'une nuit de délices. Et, qu'est-ce que je dis? ce n'est pas cette nuit-là que je me suis rappelée avec le plus de bonheur et de regrets. C'est ce premier amour enthousiaste et timide que tu avais pour moi lorsque tu ne me connaissais que sous le nom de Julie, lorsque tu me croyais une femme

pure, lorsque tu venais ici tout tremblant, et que,
n'osant me parler de ton amour, tu me parlais de
mes camélias. Ah ! ne m'ôte pas ce souvenir, Jacques, et quelque coupable que tu m'aies jugée
depuis, quelque insensée que je te paraisse encore,
ne me reprends pas le passé, ne me dis pas que tu
n'as pas senti pour moi un véritable amour ; c'est le
seul amour de ma vie, vois-tu, c'est mon rêve, c'est
mon roman de jeune fille, commencé à trente ans,
fini en moins de deux semaines !... fini ! oh non ! ce
rêve ne m'a jamais quittée. Il ne finira qu'avec ma
vie ; je n'ai aimé qu'une fois, je n'ai aimé qu'un seul
homme, et cet homme c'est toi, Jacques : ne le
savais-tu point, ne le vois-tu pas ? Je t'ai emporté
dans le secret de mon cœur, et je t'y ai gardé
comme mon unique trésor. Depuis trois ans, il ne
s'est pas passé un jour, une heure, où je n'aie été
plongée dans le ravissement de mon souvenir. C'est
là ce qui m'a fait vivre, c'est là ce qui m'a donné la
force d'être irréprochable dans mes actions depuis
trois ans, comme j'étais irréprochable dans mes
pensées. Je voulais me purifier par une vie régu-
lière, par des habitudes de fidélité. J'ai essayé
d'aimer Félix de S... comme on aime un mari quand
on n'a pas d'amour pour lui et qu'on respecte son
honneur. Et lui, le crédule jeune homme, s'est cru
aimé du jour où j'ai eu une véritable passion dans
l'âme pour un autre. Mais il a eu raison de m'estimer et de me respecter au point de vouloir me
donner son nom. Ne lui avais-je pas sacrifié la
satisfaction du seul amour que j'aie véritablement
senti ? Aussi, quand j'ai accepté ce nom et cette
formalité significative du mariage, j'ai songé à toi,
Jacques, je me suis dit : Si Félix revient à la vie, du

moins Jacques saura que j'ai mérité d'être réhabilitée ; s'il succombe, Jacques me reverra purifiée, ce ne sera plus une courtisane qu'il pressera en frissonnant contre sa poitrine, ce sera la comtesse de S..., la veuve d'un honnête homme, une femme indépendante de tout lien honteux, une maîtresse fidèle, éprouvée par trois ans d'absence et libre de se donner après un combat de trois ans contre les hommes et contre elle-même... Oh ! Jacques, c'est ainsi que je t'ai aimé, et je reviens ici, je me berce depuis vingt-quatre heures des plus doux rêves. Je caresse mille projets, je m'endors dans les délices de mon imagination en attendant que je fasse des démarches pour te chercher et te retrouver ; et tout à coup le roman infernal de ma destinée s'accomplit : tu parais devant moi, tu sembles sortir de terre, juste à l'endroit où je t'ai vu pour la première fois ! Je t'enlève, je t'entraîne ici, parmi ces fleurs, où pour la première fois tu m'as parlé... Nous sommes seuls... je suis encore belle... je t'aime avec passion... et toi tu ne m'aimes plus ! Oh ! c'est horrible, et voilà toute ma vie expiée dans ce seul instant. »

La pâle traduction que nous venons de donner des paroles d'Isidora ne saurait donner une idée de son éloquence naturelle. Ce don de la parole, quelques femmes, même les femmes vulgaires en apparence, le possèdent à un degré remarquable et l'exercent jusque sur des sujets frivoles. La profession d'avocat conviendrait merveilleusement à certaines femmes du peuple que vous avez dû rencontrer aussi bien que moi, et sur les lèvres desquelles le *discours* venait de lui-même s'arranger à propos du moindre objet de négoce ou du moindre récit de

l'événement du quartier. Les Parisiennes ont particulièrement cette faculté oratoire, cette propension
à énoncer leur pensée sous des formes pittoresques
ou littéraires et avec une pantomime animée, gracieuse ou plaisante, minaudière ou passionnée,
emphatique ou naïve. Isidora était une de ces
enfants du peuple de Paris, une de ces mobiles et
saisissantes imaginations qui se répandent en
expressions aussi vite qu'elles s'impressionnent. Elle
avait donné à son propre esprit, par la lecture et le
spectacle des arts, une éducation recherchée, brillante et presque solide, dans les loisirs de la
richesse ; et l'élocution facile qu'elle avait eue pour
la repartie mutine et l'apostrophe mordante, elle
l'avait conservée pour l'analyse de ses sentiments et
le récit de ses émotions passionnées. Jacques avait
déjà été frappé de cette éloquence féminine, déjà il
en avait subi diversement l'influence, lorsqu'elle
avait été tour à tour la divine Julie et l'audacieux
domino de l'Opéra. Il se sentit de nouveau sous le
charme, et ce ne fut pas sans une terreur mêlée de
plaisir. Il ne se piquait pas d'être un stoïque, et son
amour pour Alice n'ayant jamais reçu d'encouragement, n'ayant pu nourrir aucune espérance, n'était
pas un préservatif à l'épreuve du feu d'une passion
expansive et provocante comme l'était celle d'Isidora. Nous essaierions en vain de faire deviner
l'expression de sa physionomie si calme et si hautaine à l'habitude, si puissante de persuasion lorsqu'elle révélait tout à coup les orages cachés ; ni les
accents de sa voix éteinte dans les discours sans
intérêt, flexible, saccadée, pénétrante, déchirante
dans l'abandon du désespoir et de l'amour. Jacques
sentit qu'il tremblait, qu'il avait alternativement

chaud et froid, qu'il retombait sous l'empire de la
fascination, et Isidora qui, par instants, jetait ses
bras autour de lui avec ivresse et les retirait avec
crainte, sentit, elle aussi, que Jacques perdait la tête.

Et pourtant, hélas ! tout ce qu'elle venait de lui
dire était-il bien vrai ? Sincère, oui ; mais véridique,
non. Qu'elle crût, dans cet instant, ne rien raconter
que d'historique dans sa vie, et que dans sa vie il y
eût, depuis trois ans, beaucoup de rêveries, de
regrets et d'élans vers ce pur amour de Jacques,
unique, en effet, dans ses souvenirs, par sa nature
confiante et naïve, rien de plus certain ; qu'elle eût
été fidèle au comte de S..., qu'elle eût désiré se
réhabiliter par le mariage, par besoin d'honneur
plus que par désir d'une fortune assurée, cela était
encore vrai ; mais qu'elle ne se fût pas laissé distraire un seul instant de la passion de Jacques par
les jouissances du faste, qu'elle l'eût quitté dans le
seul dessein de ne pas le rendre malheureux, plutôt
que pour n'être pas honteusement délaissée par
Félix ; qu'enfin, elle n'eût songé qu'à Jacques en se
faisant épouser, et que l'amour des richesses certaines n'eût pas été mêlé, à l'insu d'elle-même, au
désir ambitieux d'un titre et d'une vaine considéra-
tion, voilà ce qui n'était qu'à moitié vrai. Il ne faut
pas oublier qu'il y avait une bonne et une mauvaise
puissance, agissant, à forces égales, sur l'âme naturellement grande mais fatalement corrompue de
cette femme. En revoyant Jacques, elle retrouva
toute la poétique et brûlante énergie du roman
qu'elle avait caressé en secret dans sa pensée depuis
trois ans ; secret tour à tour douloureux et charmant, selon la disposition de son âme impressionnable et changeante, et qui l'avait aidée, en effet, à

vivre sagement, mais qui n'eût pas été suffisant pour une telle réforme de conduite, sans l'espérance et la volonté de dominer et de soumettre le comte de S... Alors elle se plut à s'expliquer à elle-même sa propre vie par ce miracle de l'amour, qui lui plaisait davantage, parce que en effet il était davantage dans ses bons instincts; et l'imagination, cette maîtresse toute-puissante de son cerveau, qui lui tenait lieu du cœur éteint et des sens blasés, déploya ses ailes pour l'emporter loin du domaine de la réalité. Jacques, entraîné dans son tourbillon, perdait pied et se sentait comme soulevé par l'ouragan dans ce monde rempli de fantômes et d'abîmes.

Cette Isidora si séduisante, si belle et si violemment éprise de lui, n'était-elle pas la même femme qu'il avait aimée avec enthousiasme, puis avec délire, puis enfin avec de profonds déchirements de cœur, longtemps encore après avoir été brusquement séparé d'elle? Nous n'oserions pas dire que six mois encore avant cette nouvelle rencontre, Jacques, au moment d'aimer Alice, qu'il connaissait à peine, n'eût pas éprouvé d'énergiques retours de l'ancienne et unique passion. C'était bien plutôt lui qui eût pu, s'il eût été disposé à se vanter de sa fidélité, raconter à Isidora qu'il avait langui et souffert pour elle durant presque toute cette absence, et ce roman de son cœur eût été beaucoup plus authentique que celui qu'elle venait de faire sortir de son propre cerveau.

Pourtant je ne sais quel doute obstiné se mêlait à l'ivresse croissante de Jacques. Tout était vrai dans l'expression d'Isidora; sa voix sonore, son regard humide, son sein agité; mais son exaltation, pour être sentie, n'en était pas moins appliquée à une assertion peu vraisemblable, et la sagesse, la modestie du jeune homme, se débattaient encore contre les séductions d'un genre de flatterie où les femmes sont toutes-puissantes. Son humble fortune, son nom ignoré, son extérieur timide, rien en lui ne pouvait tenter la cupidité ou la vanité d'une telle femme. Et puis, s'il est vrai que les femmes sont crédules aux doux mensonges de l'amour, il faut bien avouer que, par nature et par position, les hommes le sont bien davantage.

La lutte était engagée. Isidora voulait ardemment la victoire, non qu'elle eût conservé les mœurs de la galanterie. Il n'est rien de plus froid à cet égard que la femme qui a abusé de la liberté, rien de plus chaste, peut-être, que celle qui rougit d'avoir mal vécu. Mais il y a dans ces âmes-là, et il y avait dans la sienne en particulier, un insatiable orgueil. Elle ne pouvait se résoudre à perdre Jacques malgré elle, elle qui avait eu la force de le quitter. Le danger d'échouer, l'étonnement de sa résistance, étaient des stimulants à cette passion moitié sentie, moitié factice. Dans l'excitation nerveuse qu'elle éprouvait, elle pouvait, sans efforts et sans fausseté, parcourir tous les tons, et s'identifier, à la manière des grands artistes, avec toutes les nuances de son improvisation brûlante. Elle frappa le dernier coup en s'humiliant devant Jacques : « Ne me hais pas ; oh ! je t'en prie, ne me hais pas ! lui dit-elle en courbant presque sur son sein les flots de sa noire chevelure. Ne crois pas que je sois indigne de ta pitié. Vois où l'amour m'a réduite ! moi qui la repoussais si fièrement autrefois, quand tu me l'offrais, cette pitié sainte, je te la demande aujourd'hui. Je te la demande au nom de cette femme que j'ai calomniée tout à l'heure, si c'est calomnier le plus pur des anges de supposer qu'il t'aime. Mais si ta modestie farouche repousse cette idée comme un crime, je la rétracte et je désavoue les paroles que la jalousie m'a arrachées. Oui, la jalousie, je le confesse. Cette femme que j'adorais, que j'adore toujours dans sa bonté simple et courageuse, j'étais au moment de la haïr en songeant... Mais je ne veux même pas répéter les mots qui t'offensent. Sois sûr que le bon principe est assez fort en moi pour triompher, et qu'il triomphe déjà. J'étoufferai, s'il le faut, l'amour qui me dévore, pour rester digne de l'amitié qu'elle m'offre. Eussé-je encore d'insolents soupçons, je les refoulerai dans mon sein, je la respecterai comme tu la respectes. Seras-tu content, Jacques, et croiras-tu que je t'aime ? »

Jacques vit à ses pieds l'orgueilleuse Isidora, et soit que l'homme devienne plus faible que la femme quand il s'agit de donner le change à un véritable amour, soit qu'à bout de souffrance dans ses désirs ignorés pour Alice, il espérât guérir un mal inutile et funeste en s'enivrant de voluptés puissantes, il chercha l'oubli du présent dans le délire du passé.

Isidora eût souhaité des émotions plus douces et plus profondes. Ce ne fut pas sans douleur et sans effroi qu'elle accepta son facile triomphe. Elle fut sur le point de le repousser en échange d'un mot et d'un regard adressés à la Julie d'autrefois. Elle arracha bien à son amant ce doux nom qui, pour elle, résumait tout son rêve de bonheur ; mais la familiarité d'un amour accepté lui ôta tout son prestige. Elle se livra sans confiance et sans transport, à travers des larmes amères qu'elle interpréta comme des larmes de joie ; mais elle sentit avec un affreux désespoir qu'elle mentait et qu'elle n'avait pas de plus noble plaisir que celui de rendre Jacques infidèle à une femme austère et plus désirable qu'elle.

Car elle devina tout en sentant battre contre son cœur ce cœur rempli d'une autre affection, et bientôt elle éprouva l'invincible besoin de pleurer seule et de constater que sa victoire était la plus horrible défaite de sa vie. « Va-t'en, dit-elle à Jacques lorsque minuit sonna dans le lointain. Tu ne m'aimes plus, ou tu ne m'aimes pas encore. Un abîme s'est creusé entre nous. Mais je le comblerai peut-être, Jacques, à force de repentir et de dévouement. »

Elle s'était montrée douce et résignée malgré son angoisse. Jacques ne sentait encore que de l'attendrissement et de la reconnaissance. Il essaya de ramener la paix dans son âme en lui parlant de l'avenir et des affections durables. Mais, lui aussi, il sentit tout à coup qu'il mentait. La peur et les remords le saisirent, et la parole expira sur ses lèvres. Isidora avait été vingt fois sur le point de lui dire : « Tais-toi, ceci est un sermon ! » Mais elle se contint, soit par stoïcisme, soit par découragement, et elle trouva des prétextes pour se séparer de lui sans lui dévoiler, comme autrefois, la profonde et altière douleur de son âme impuissante et inassouvie.

Jacques, confus et tremblant, rentra dans le jardin de l'hôtel de T... comme un larron qui voudrait se cacher de lui-même. Il referma sans bruit la petite porte, et jeta un regard craintif sur l'allée déserte et les massifs silencieux.

Les volets du rez-de-chaussée, habité par Alice,

étaient fermés, nulle trace de lumière, aucun bruit à l'extérieur. Sans doute elle était couchée.

« Ah ! repose en paix, âme tranquille et sainte, pensa-t-il en approchant de ces fenêtres sans reflets et de cette façade morne d'une maison endormie sous le froid et fixe regard de la lune. Dors la nuit, et que tes jours s'envolent en sereines rêveries. Que l'orage, que la honte, que les luttes vaines et coupables, que les inutiles désirs et les remèdes empoisonnés, que la douleur et le mal soient pour moi seul ! Maintenant me voilà condamné par ma conscience à me taire éternellement, et je ne pourrai plus même maudire ma timidité ! »

Il fallait traverser l'antichambre de madame de T... pour rentrer dans la maison. Et qu'allait devenir Jacques si cette porte était fermée ! Mais à peine l'eut-il touchée, que Saint-Jean vint la lui ouvrir.

« Ne faites pas de bruit, Monsieur Laurent, Madame est *retirée* », lui dit le bonhomme qui l'avait attendu sur ce banc classique en velours d'Utrecht, où les serviteurs du riche, victimes de ses caprices ou de ses habitudes, perdent de si longues heures entre un mauvais sommeil ou une oisiveté d'esprit plus mauvaise encore. Jacques lui exprima ses regrets de l'avoir fait veiller. « Pardi, Monsieur, dit le bonhomme avec un sourire moitié bienveillant, moitié goguenard, il le fallait bien, à moins de vous faire coucher à la belle étoile, ou à l'hôtel de S...! Rendez-moi ma clef ! Eh ! eh, vous l'emportez par mégarde ! »

Jacques avait été mis, dans l'après-dîner, en possession de la chambre qu'il devait occuper désormais à l'hôtel de T... Ce n'était pas son ancienne mansarde ; c'était un petit appartement beaucoup plus confortable, situé au second, mais ayant vue aussi sur le jardin. En examinant ce local, Jacques fut frappé du goût et de la grâce aimable avec lesquels il avait été décoré. Tout était simple ; mais, par un étrange hasard, il semblait que la personne chargée de ce soin eût deviné ses goûts, ses paisibles habitudes de travail, le choix des livres qui pouvaient le charmer, et jusqu'aux couleurs de tenture qu'il aimait. La pensée ne lui vint pourtant pas que madame de T... eût daigné s'occuper elle-même de ces détails. Dans les commencements de son séjour à la campagne il avait été l'objet des attentions les plus délicates et les plus affectueuses dans ce qui concernait les douceurs de son installation. Mais depuis qu'Alice, préoccupée d'une pensée grave qu'il ne devinait pas, semblait s'être refroidie pour lui, il ne se flattait plus de lui inspirer ces prévenantes bontés. Agité et craignant de réfléchir, il se jeta sur son lit, espérant trouver dans le sommeil l'oubli momentané de la tristesse invincible qui le gagnait. Mais il n'eut qu'un sommeil entrecoupé et des rêves insensés. Il pressait Alice dans ses bras, et tout à coup, son visage divin devenant le visage désolé d'Isidora, ses caresses se changeaient en malédictions, et la courtisane étranglait sous ses yeux la femme adorée.

Obsédé de ces folles visions, il se leva et s'approcha de sa fenêtre. Les menaces d'orage s'étaient dissipées : il n'y avait plus au firmament qu'une vague blancheur, des nuées transparentes, floconneuses, et l'argent mat du clair de la lune sur un fond de moire. Laurent jeta les yeux sur ce jardin funeste qui ne lui rappelait que des regrets ou des remords. Mais bientôt son attention fut fixée sur un objet inexplicable. Tout au fond du jardin, sur une espèce de terrasse relevée de trois gradins de pierre blanche, et fermée de grands murs, marchait lentement une forme noire qu'il lui était impossible de distinguer, mais dont le mouvement régulier et impassible pouvait être comparé à celui d'un pendule. Qui donc pouvait ainsi veiller dans la solitude et le silence de la nuit ? D'abord un soupçon terrible, une âcre jalousie, s'empara du cerveau affaibli de Jacques. Comme s'il avait eu, lui, le droit d'être jaloux ! Alice attendait-elle quelqu'un à cette heure solennelle et mystérieuse ? Mais était-ce bien Alice ? Isidora aussi portait un vêtement de deuil. Aurait-elle eu la fantaisie de venir rêver dans ce jardin plutôt que dans le sien ? Elle pouvait en avoir conservé une clef. Mais comment expliquer le choix de cette promenade ? D'ailleurs Alice était mince, et il lui semblait voir une forme élancée.

Une demi-heure s'écoula ainsi. L'ombre paraissait infatigable, et elle était bien seule. Elle disparaissait derrière de grands vases de fleurs et quelques touffes de rosiers disposés sur le rebord de la terrasse. Puis elle se montrait toujours aux mêmes endroits découverts, suivant la même ligne, et avec tant d'uniformité, qu'on eût pu compter par minutes et secondes les allées et venues de son invariable exercice. Elle marchait lentement, ne s'arrêtait jamais, et paraissait bien plutôt plongée dans le recueillement d'une longue méditation qu'agitée par l'attente d'un rendez-vous quelconque.

Jacques fatigua son esprit et ses yeux à la suivre, jusqu'à ce que, cédant à la lassitude, et voulant se persuader que ce pouvait être la femme de chambre de madame de T..., attendant quelque amant pour son propre compte, il allât se recoucher. Après deux heures de cauchemar et de malaise, il retourna à la fenêtre. L'ombre marchait toujours. Était-ce une hallucination ? Cela faisait croire à quelque chose de surnaturel. Un spectre ou un automate pouvaient seuls errer ainsi pendant de si longues heures sans se lasser. Où un être humain eût-il pris tant de persévérance et d'insensibilité physique ? L'horizon blanchissait, l'air devenait froid, et les feuilles se dilataient à l'approche de la rosée. « Je resterai là, se dit Jacques, jusqu'à ce que la vision s'évanouisse ou jusqu'à ce que cette femme quitte le théâtre de sa promenade obstinée. A moins de passer par-dessus le mur, il faudra bien qu'elle se rapproche, que je la voie ou que je la devine. »

Cette curiosité, mêlée d'angoisse, fit diversion à ses maux réels. Caché derrière la mousseline du rideau collé à ses vitres, il s'obstina à son tour à regarder, jusqu'à ce que le jour, s'épurant peu à peu, lui permît de reconnaître Alice. A n'en pouvoir douter, c'était elle qui, depuis une heure du matin jusqu'à quatre, avait ainsi marché sans relâche, sans distraction, et sans qu'aucune impression extérieure eût pu la déranger du problème intérieur qu'elle semblait occupée à résoudre. A mesure que le jour net et transparent qui précède le lever du soleil lui permettait de discerner les objets, Jacques voyait son attitude, sa démarche, les détails de son vêtement. Rien en elle n'annonçait le désordre de l'âme. Elle avait la même toilette de deuil qu'il lui avait vue la veille ; elle n'avait pas songé à mettre un châle : elle avait la tête nue. Ses cheveux bruns, séparés sur son beau front, ne

paraissaient pas avoir été déroulés pour une tentative de sommeil. Son pas était encore ferme
quoique un peu ralenti, ses bras croisés sur sa
poitrine sans raideur et sans contraction violente.
Enfin, lorsque le premier rayon du soleil vint dorer
les plus hautes branches, elle s'arrêta au milieu de
la terrasse et parut regarder attentivement la façade
de la maison. Puis elle descendit les trois degrés et
se dirigea vers la porte du petit salon d'été, sans
avoir aperçu Jacques qui se cachait soigneusement.
Lorsqu'elle fut assez près de la maison pour qu'il
pût distinguer sa physionomie, il remarqua avec
étonnement qu'elle était calme, pâle, il est vrai,
comme l'aube, mais aussi sereine, et à peine altérée
par la fatigue d'une si solennelle et si étrange
veillée. Et, cependant, que n'avait-il pas fallu souffrir pour remporter une telle victoire sur soi-
même ? « Oh ! quelle femme êtes-vous donc ? s'écria
Jacques intérieurement, quand il lui eut entendu
doucement refermer la porte vitrée de son boudoir ;
quelle énigme vivante, quelle âme céleste nourrie
des plus hautes contemplations, ou quel cœur à
jamais brisé par un morne désespoir ? Vous n'aimez
pas, non, vous n'aimez pas, car vous semblez ne
pouvoir pas souffrir ; mais vous avez aimé, et vous
vivez peut-être d'un souvenir du mort ! » Et Jacques
ne se doutait pas que ce mort c'était lui.

« J'ai aimé ! » pensait Alice en se déshabillant
avec lenteur et en s'étendant sur sa couche chaste et
sombre.

Jacques fut bien abattu et bien préoccupé durant
la leçon du matin qu'il donnait ordinairement avec
tant de zèle et d'amour au fils d'Alice. Il s'en fit des
reproches. Nos fautes ont ainsi toutes sortes de

retentissements imprévus, petits ou grands, mais qui en raniment l'amertume par mille endroits.

A la campagne, Alice avait l'habitude de venir toujours, vers la fin de la leçon, écouter le résumé du précepteur ou de l'enfant. Jacques se dit que toute cette vie allait changer à Paris, et qu'il ne verrait peut-être pas Alice de la journée. On lui monta son déjeuner dans sa chambre, et le vieux serviteur lui dit que Madame avait commandé que son couvert fût mis tous les jours à sa table à l'heure du dîner. Jacques attendit cette heure avec anxiété. Mais il dîna tête à tête avec son élève. « Madame a la migraine, dit le bonhomme Saint-Jean, une forte migraine, à ce qui paraît ; elle n'a rien pris de la journée. »

Et il secoua la tête d'un air chagrin.

Nous laisserons Jacques Laurent à ses anxiétés, et nous rendrons compte au lecteur de la journée d'Alice.

Après quelques heures d'un sommeil calme, elle s'habilla avec le même soin qu'à l'ordinaire, et se fit apporter la clef de la petite porte du jardin. « Je la laisserai dans la serrure, dit-elle à Saint-Jean, et vous ne l'ôterez jamais. » Puis elle se dirigea avec une lenteur tranquille vers le jardin d'Isidora, et elle alla s'asseoir dans la serre, où elle voulut rester seule quelques instants avant de la faire avertir. Il y avait là quelque désordre, un coussin de velours tombé dans le sable, quelques belles fleurs brisées autour de la fontaine. Alice eut un frisson glacé ; mais aucun soupir ne trahit, même dans la solitude, l'émotion de son âme profonde.

Elle allait se diriger enfin vers le pavillon, lorsque Isidora parut devant elle, en robe blanche sous une légère mante noire. Isidora était fière de porter en public ce deuil qui la faisait épouse et veuve ; mais elle haïssait cette sombre couleur et ce souvenir de mort. N'attendant pas si tôt la visite de sa belle-sœur, elle cachait à peine sous sa mante cette toilette du matin, molle et fraîche, dans laquelle elle se sentait renaître. Pourtant le visage de la superbe fille était fort altéré. Sa beauté n'en souffrait pas ; elle y gagnait peut-être en expression ; mais il était facile de voir à son œil plombé et à sa riche chevelure à peine nouée, qu'elle avait peu dormi et qu'elle avait eu hâte de se retremper dans l'air du matin. Il était à peine neuf heures.

Elle fit un léger cri de surprise, puis, comme charmée, elle s'élança vers Alice ; mais, dans son rapide regard, je ne sais quelle farouche inquiétude se trahit en chemin.

Alice, clairvoyante et forte, lui sourit sans effort et lui tendit une main qu'Isidora porta à ses lèvres avec un mouvement convulsif de reconnaissance, mais sans pouvoir détacher son œil, noir et craintif comme celui d'une gazelle, du placide regard d'Alice. Alice était bien pâle aussi ; mais si paisible et si souriante, qu'on eût dit qu'elle était l'amante victorieuse en face de l'amante trahie.

« Elle ne se doute de rien ! » pensa l'autre ; et elle reprit son aplomb, d'autant plus qu'Alice ne parut pas faire la moindre attention à son joli peignoir de mousseline blanche.

« Vous ne m'attendiez pas si matin, lui dit madame de T... ; mais vous m'aviez dit que vous défendriez votre porte et que vous ne sortiriez pas tant que je ne serais pas venue ; je n'ai pas voulu vous condamner à une longue réclusion, et, en attendant votre réveil, je prenais plaisir à faire connaissance avec vos belles fleurs.

— Mes plus belles fleurs sont sans parfum et sans pureté auprès de vous, répondit Isidora, et ne prenez pas ceci pour une métaphore apportée de l'Italie, la terre classique des rébus. Je pense naïvement ce que je vous dis d'une façon ridicule ; c'est assez le caractère de l'enthousiasme italien. Il paraît exagéré à force d'être sincère. Ah ! madame, que vous êtes belle au jour, que votre air de bonté me pénètre, et que votre manière d'être avec moi me rend heureuse ! Vous ne partagez donc pas l'animosité de votre famille contre moi ? Vous n'avez donc pas le sot et féroce orgueil des femmes du grand monde ?

— Ne parlons ni de ma famille, ni des femmes du monde : vous ne les connaissez pas encore, et peut-être n'aurez-vous pas tant à vous en plaindre que vous le croyez. Que vous importe, d'ailleurs, l'opinion de ceux qui, de leur côté, vous jugeraient ainsi sans vous connaître ? Oubliez un peu tout ce qui se meut en dehors de votre véritable vie, comme je l'oublie, moi aussi ; même quand je suis forcée de le traverser. Pensez un peu à moi, et laissez-moi ne penser qu'à vous. Dites-moi, croyez-vous que vous pourrez m'aimer ? »

Cette question était faite avec une sorte de sévérité où la franchise impérieuse se mêlait à la cordiale bienveillance. Isidora essaya de se récrier sur la cruauté d'un tel doute ; mais le regard ferme et bon d'Alice semblait lui dire : *Pas de phrases ! je mérite mieux de vous.* Et Isidora, sentant tout à coup le poids de cette âme supérieure tomber sur la sienne, fut saisie d'un malaise qui ressemblait à la peur.

Cette peur devint de l'épouvante lorsque Alice ajouta, en retenant fortement sa main dans la sienne : « Répondez-moi, répondez-moi donc hardiment, Julie !

— Julie ? s'écria la courtisane hors d'elle-même. Quel nom me donnez-vous là ?

— Permettez-moi de vous le donner toujours, reprit Alice avec une grande douceur ; un de nos amis communs vous a connue sous ce nom, qui est sans doute le véritable, et qui m'est plus doux à prononcer.

— C'est mon nom de baptême, en effet, dit Isidora avec un triste sourire ; mais je n'ai pas voulu le porter après que j'ai eu quitté ma famille et mon humble condition. C'est mon nom d'ouvrière, car vous savez que j'étais une pauvre enfant du peuple.

— C'est votre titre de noblesse à mes yeux.

— Vraiment ?

— Vraiment oui ! Ne croyez donc pas que les idées ne pénètrent pas jusque dans les têtes coiffées en naissant d'un hochet blasonné. Ne soyez pas plus fière que moi ; nommez-moi Alice, et reprenez pour moi votre nom de Julie.

— Ah ! il me rappelle tant de choses douces et cruelles ! ma jeunesse, mon ignorance, mes illusions, tout ce que j'ai perdu ! Oui, donnez-le-moi, ce cher nom, pour que j'oublie tout ce qui s'est passé pendant que je m'appelais Isidora... Car celui-là vous fait mal aussi à prononcer, n'est-ce pas ? » Et en disant ces derniers mots, Isidora regarda à son tour Alice avec une sincérité impérative.

Alice éleva sa belle main délicate, et la posant sur le front de la courtisane : « Je vous jure, par votre intelligence, lui dit-elle, que si votre cœur est aussi bon que votre beauté est puissante, quoi qu'il y ait eu dans votre vie, je ne veux ni le savoir, ni le juger. Que de vous à moi, ce qui peut vous faire souffrir dans le passé soit comme s'il n'avait jamais existé. Si vous êtes grande, généreuse et sincère, Dieu a dû vous absoudre, et aucune de ses créatures n'a le droit de trouver Dieu trop indulgent. Répondez-moi donc, car je ne vous demande pas autre chose. Votre cœur est-il bien vivant ? Êtes-vous bien capable d'aimer ? Car si cela est, vous valez tout autant devant Dieu que moi qui vous interroge. »

Isidora, entièrement vaincue par l'ascendant de la justice et de la bonté, mit ses deux mains sur son visage et garda le silence. Son enthousiasme d'habitude avait fait place à un attendrissement profond, mais douloureux. Il lui fallait bien aimer Alice, et elle sentait qu'elle l'aimait plus encore que durant l'accès d'exaltation qu'elle avait éprouvé la veille en recevant les premières ouvertures de son amitié.

Mais le fantôme de Jacques Laurent avait passé entre elles deux, et il y avait eu de la haine mêlée à ce premier élan de son cœur vers une rivale. Maintenant le respect brisait la jalousie. L'orgueil abattu ne trouvait plus d'ivresse dans la reconnaissance. Alice n'était plus là comme une fée qui l'enlevait à la terre, mais comme une sœur de la Charité qui sondait ses plaies. La fière malade ne pouvait repousser cette main généreuse ; mais elle avait honte d'avouer qu'elle avait plus besoin de secours et de pardon que de justice.

Alice écarta avec une sorte d'autorité les mains de la courtisane et vit la confusion sur ce front que les outrages réunis de tous les hommes n'eussent pas pu faire rougir.

« Eh bien, lui dit-elle, si vous n'êtes pas sûre de vous-même, attendez pour me répondre. J'aurai du courage, et je ne me rebuterai pas.

« Je ne venais pas pour vous imposer la confiance et l'amitié. Je venais vous les offrir et vous les demander.

— Et moi, je vous donne toute mon âme, lui répondit enfin Isidora en dévorant des larmes brûlantes.

« Ne sentez-vous pas que vous me dominez et que ma foi vous appartient ?

« Mais ne voyez-vous pas aussi que je ne suis pas aussi bien avec Dieu et avec moi-même que vous l'espériez ? Ne voyez-vous pas que j'ai honte de faire un pareil aveu ? Ne soyez pas cruelle et n'abusez pas de votre ascendant, car je ne sais pas si je pourrai le subir longtemps sans me révolter. Ah ! je suis une âme malheureuse, j'ai besoin de pitié à cause de ce que je souffre ; mais la pitié m'humilie, et je ne peux pas l'accepter !

— De la pitié ! Dieu seul a le droit de l'exercer ; mais les hommes ! Oh ! vous avez raison de repousser la pitié de ces êtres qui en ont tous besoin pour eux-mêmes. J'en serais bien digne, chère Julie, si je vous offrais la mienne.

— Que m'offres-tu donc, noble femme ? Suis-je digne de ton affection ?

— Oui, Julie, si vous la partagez.

— Eh ! ne vois-tu pas que je l'implorerais à genoux s'il le fallait ! Oh ! belle et bonne créature de Dieu que vous êtes, prenez garde à ce que vous allez faire en m'ouvrant le trésor de votre affection ; car si vous vous retirez de moi quand vous aurez vu le fond de mon cœur, vous aurez frappé le dernier coup, et je serai forcée de vous maudire.

— Pourquoi mêlez-vous toujours quelque chose de sinistre à votre expansion ? On vous a donc fait bien du mal ? Et cependant un homme vous a rendu justice, un homme vous a aimée.

— De quel homme parlez-vous ?

— De mon frère.

— Ah ! ne parlons pas de lui, Alice, car c'est là que notre lien, à peine formé, va peut-être se rompre, à moins que ma franchise ne me fasse absoudre !...

— Pas de confession, ma chère Julie. Je sais de vous certaines choses que je comprends sans les approuver. Mais trois années de dévouement et de fidélité les ont expiées.

— Écoutez, écoutez, s'écria Julie en se pliant sur le coussin de velours resté à terre aux pieds d'Alice, dans une attitude à demi familière, à demi prosternée : je ne veux pas que vous me croyiez meilleure que je ne le suis. J'aimerais mieux que vous me crussiez pire, afin d'avoir à conquérir votre estime, que je ne veux ni surprendre ni extorquer. Je veux vous dire toute ma vie. »

Et comme Alice fit involontairement un geste d'effroi, elle ajouta avec abattement :

« Non, je ne vous raconterai rien ; je ne le pourrais pas non plus ; mais je tâcherai de me faire connaître, en parlant au hasard, car mon cœur est plein de trouble, et je ne puis recevoir en silence un bienfait que je crains de ne pas mériter.

« Oh ! madame, on n'est pas belle et pauvre impunément dans notre abominable société de pauvres et de riches, et ce don de Dieu, le plus magique de tous, la beauté de la femme, la femme du peuple doit trembler de le transmettre à sa fille.

« Je me rappelle un dicton populaire que j'entendais répéter autour de moi dans mon enfance : *Elle a des yeux à la perdition de son âme,* disaient les commères du voisinage, en me prenant des mains de ma mère pour m'embrasser. Ah ! que j'ai bien compris, depuis, cette naïve et sinistre prédiction !

« C'est que la beauté et la misère forment un assemblage si monstrueux ! La misère laide, sale, cruelle, le travail implacable, dévorant, les privations obstinées, le froid, la faim, l'isolement, la honte, les haillons, tout cela est si sûrement mortel pour la beauté ! Et la beauté est ambitieuse ; elle sent qu'elle est une puissance, qu'un règne lui serait dévolu si nous vivions selon les desseins de Dieu ; elle sent qu'elle attire et commande l'amour, qu'elle peut élever une mendiante au-dessus d'une reine dans le cœur des hommes ; elle souffre et s'indigne du néant et des fers de la pauvreté.

« Elle ne veut pas servir, mais commander ; elle veut monter, et non disparaître ; elle veut connaître et posséder ; mais, hélas ! à quel prix la société lui accorde-t-elle ce règne funeste et cette ivresse d'un jour !

« Et moi aussi, j'ai voulu régner, et j'ai trouvé l'esclavage et la honte. Vous pensez peut-être qu'il y a des âmes faites pour le vice, et condamnées d'avance ; d'autres âmes faites pour la vertu et incorruptibles. Vous êtes peut-être fataliste comme les gens heureux qui croient à leur étoile. Ah ! sachez qu'il n'y a de fatal pour nous en ce monde que le mal qui nous environne, et que nous ne pouvons pas le conjurer. S'il nous était donné de le juger et de le connaître, la peur tiendrait lieu de force aux plus faibles. Mais que sait-on du mal quand on ne le porte pas en soi ? Nos bons instincts ne sont-ils pas légitimes, et, par cela même, invincibles ? A qui la faute si nous sommes condamnées à périr ou à les étouffer ?

« Ton ambition t'a perdue, me disait ma pauvre mère en courroux, après mes premières fautes. Cela était vrai ; mais quelle était donc cette ambition si coupable ? Hélas ! je n'en connaissais pas d'autre que celle d'être aimée ! Suis-je donc criminelle pour n'avoir pas trouvé l'amour, pour moins encore, pour n'avoir pas su qu'il n'existait pas ?

« Et, ne trouvant pas la réalité de l'amour, il a fallu me contenter du semblant. Des hommages et des dons, ce n'est pas l'amour, et pourtant la plupart des femmes qui portent le même nom que moi dans la société n'en demandent pas davantage. Mais le plus grand malheur qui puisse échoir à une femme comme moi, c'est de n'être pas stupide. Une courtisane intelligente, douée d'un esprit sérieux et d'un cœur aimant ! mais c'est une monstruosité ! Et pourtant je ne suis pas la seule. Quelques-unes d'entre nous meurent de douleur, de dégoût et de regrets, au milieu de cette vie de plaisir, d'opulence et de frivolité qu'elles ont acceptée.

« Ce n'est pas la cupidité, ce n'est pas le libertinage, qui les ont conduites à ce que la société considère comme un état de dégradation.

« Il est vrai qu'elles ont commis, comme moi, des fautes, et qu'elles ont caressé aussi de dangereuses, de coupables erreurs. Elles ont accepté leur opulence de mains indignes, et lâchement reçu comme un dédommagement de leur esclavage ou de leur abandon, des richesses qu'elles auraient dû haïr et repousser.

« Il y a beaucoup d'intrigantes, qui, pour s'assurer ces richesses, jouent avec la passion, menacent d'une rupture, feignent la jalousie, poursuivent de leurs transports étudiés un amant qui les quitte, enfin trafiquent de l'amour d'une manière honteuse. A celles-là rien de sacré, rien de vrai. Elles n'aiment jamais ; elles quittent un amant par la seule raison qu'un amant plus riche se présente. Ces femmes-là me font horreur, et je me surprends à les mépriser, comme si j'étais irréprochable. Mais quelques-unes d'entre nous valent mieux, sans qu'on s'en aperçoive, sans qu'on leur en sache aucun gré. Elles ne calculent pas, elles ne comptent pas avec la richesse.

« Le hasard seul a voulu que le premier objet de leur passion fût riche, et elles n'ont pas prévu qu'en se laissant combler, elles seraient regardées bientôt comme vendues.

« Puis, dans l'habitude de luxe où elles vivent, avec les besoins factices qu'on leur crée, avec l'entourage de riches admirateurs qui fait leurs relations, leur âme s'amollit, leur constitution s'énerve, le travail et la misère leur deviennent des pensées de terreur. Si elles changent d'amant, c'est un riche qui se présente, c'est un riche qui est accepté.

« Devenues futiles et aveugles, un homme simple et modeste n'est plus un homme à leurs yeux ; il n'exerce pas de séduction sur elles ; un habit mal fait le rend ridicule, le défaut d'usage, la simplicité des manières le font paraître déplaisant, et nous serions humiliées d'avoir un tel protecteur, et de paraître avec lui en public. Nous devenons plus aristocratiques, plus patriciennes que les duchesses de l'ancienne cour et les reines modernes de la finance.

« Et puis, l'oisiveté est une autre cause de démoralisation, et c'est encore par là que nous en venons à ressembler aux grandes dames. Nous avons pris l'habitude de donner tant d'heures à la toilette, à la promenade, à de frivoles entretiens, nous trônons avec tant de nonchalance sur nos ottomanes ou dans nos avant-scènes, qu'il nous devient bientôt impossible de nous occuper avec suite à rien de sérieux.

« Nos sots plaisirs nous excèdent, mais la solitude nous effraie, et nous ne pouvons plus nous passer de cette vie de représentation stupide, qui est à la fois un fardeau et un besoin pour nous.

« Et puis encore l'orgueil ! cette sorte d'orgueil particulier aux êtres qu'on s'est efforcé d'avilir, qui ont donné des armes contre eux, et qui, ne pouvant retrouver le vrai chemin de l'honneur, se font gloire de leur contenance intrépide. Oh ! cet orgueil-là, pour être illégitime, n'en est pas moins jaloux, ombrageux et despotique à l'excès. On pourrait le comparer à celui de certains hommes politiques qui se drapent dans leur impopularité.

« Jugez donc de ce que doit souffrir une tête douée d'intelligence et de raison, quand, poussée par la fatalité dans cette voie sans issue, elle arrive à perdre la puissance de se réhabiliter sans en avoir perdu le besoin.

« Ah ! madame, vous n'êtes pas, vous, une femme vulgaire, vous avez un grand cœur, une grande intelligence. Il est impossible que vous ne me compreniez pas. Vous ne voudriez pas m'insulter en me mettant sous les yeux les prétendus éléments de mon bonheur, le nom et le titre que je porte, la sécurité de ma fortune, de ma liberté, ma beauté encore florissante, et mon esprit généralement vanté et apprécié par de prétendus amis.

« Mon nom de patricienne et mon titre de comtesse, je les dois à l'amour aveugle et obstiné d'un homme que je ne pouvais pas aimer, et que j'ai souvent trompé, avide et insatiable que j'étais d'un instant d'amour et de bonheur impossibles à trouver !

« Cet homme excellent, mais homme du monde, malgré tout, jaloux sans passion et généreux sans miséricorde, n'eût jamais osé faire de moi sa femme, s'il eût dû survivre à la maladie qui l'a emporté.

« A son lit de mort, il a voulu, par un étrange caprice, me laisser dans le monde un rang auquel je ne songeais pas, et que j'ai eu la faiblesse d'accepter sans comprendre que ce serait là encore une fausse dignité, une puissance illusoire, une comédie de réhabilitation, un masque sur l'infamie de mon nom de fille.

« La famille du comte de S... n'a pas voulu me disputer le legs considérable dont je jouis, et cette crainte du scandale est la marque de dédain la plus incisive qu'elle m'ait donné. Je sais bien que, dans le temps où nous vivons, je pourrais braver ce dédain, me pousser par l'intrigue dans les salons, y réussir, y tourner la tête d'un lord excentrique ou d'un Français sceptique, faire encore un riche, peut-être un illustre mariage, qui sait ! aller à la cour citoyenne comme certaines filles publiques, bien autrement aviliés que moi, s'y sont poussées et installées à force d'impudence ou d'habileté. Mais je n'ai pas la ressource d'être vile, et ce genre d'ambition m'est impossible.

« Mon orgueil est trop éclairé pour aller affronter des mépris qui me font souffrir par la seule pensée qu'ils existent au fond des cœurs, quelque part, chez des gens que je ne connais même pas. Je ne pourrais pas, je n'ai jamais pu m'entourer de ces femmes équivoques, qui ont fait justement comme moi, par les mêmes hasards, mais avec d'autres intentions et d'autres moyens. J'abhorre l'intrigue, et j'éprouve une sorte de consolation à écraser ces femmes-là du mépris qu'elles m'inspirent.

« Mais, hélas ! pour valoir mieux qu'elles, je n'en suis que plus malheureuse.

« Ne pouvant m'amuser à la possession des bijoux et des voitures, à la conquête des révérences et à l'exhibition d'une couronne de comtesse sur mes cartes de visite, j'ai l'âme remplie d'un idéal que je n'ai jamais pu, et que, moins que jamais, je ne puis atteindre.

« Le manque d'amour me tue, et le besoin d'être aimée me torture... Et pourtant je ne suis pas sûre de n'avoir pas perdu moi-même, au milieu de tant de souffrances, la puissance d'aimer.

« Ah ! la voilà, cette révélation qui vous effraie et à laquelle vous n'osiez pas vous attendre ! Je vous ai devinée, Alice, et je sais bien ce qui a disposé votre grand cœur à m'absoudre de toute ma vie. Dans votre vie de réserve et de pudeur, à vous, vous vous êtes dit avec l'humilité d'un ange, que les femmes comme moi avaient une sorte de grandeur incomprise, qu'elles se rachetaient devant Dieu par la puissance de leurs affections, et que, comme à Madeleine, il leur serait beaucoup pardonné, parce qu'elles ont beaucoup aimé. Hélas ! vous n'avez pas compris que Dieu serait trop indulgent, s'il permettait aux âmes qui abusent de ses dons de ne pas arriver à la satiété et à l'impuissance.

« Le châtiment est là pour le cœur de la femme, comme pour les sens du débauché.

« Et ce malheur incommensurable n'est pas l'expiation des âmes vulgaires, sachez-le bien. J'ai été frappée, en Italie, de la différence qui existait entre moi et presque toutes ces femmes d'une organisation à la fois riche et grossière.

« Elles avaient bien aussi des alternatives d'illusion et de déception, mais leurs sens sont si actifs, que leur illusion n'est pas tuée par ses nombreuses défaites. J'ai connu à Rome une jeune fille de vingt ans, qui me disait tranquillement, en comptant sur ses doigts :

« " J'ai aimé trois fois, et j'ai toujours été trompée ; mais, cette fois-ci, je suis bien sûre d'être aimée, et de l'être pour toujours. "

« Huit jours après, elle était trahie ; elle fut d'abord folle, puis malade à mourir ; puis, quand elle fut guérie, il se trouva qu'elle était passionnément éprise du médecin qui l'avait soignée, et qu'elle disait encore :

« " Cette fois-ci, c'est pour toujours. "

« J'ignore la suite de ses aventures ; mais je gagerais qu'elle est aujourd'hui à son dixième amour, et qu'elle ne désespère de rien. Pourtant cette fille était honnête, sincère, elle donnait toute son âme, elle se dévouait sans mesure, elle était admirable de confiance, de miséricorde et de folie. C'était une mobile et puissante organisation.

« Nous ne sommes point ainsi, nous autres Françaises, nous autres Parisiennes surtout. Nous n'avons peut-être pas moins de cœur qu'elles ; mais nous avons beaucoup plus d'intelligence, et cette intelligence nous empêche d'oublier. Notre fierté est moins audacieuse ; elle est plus délicate, elle ne se relève pas aussi aisément d'un affront ; elle raisonne ; elle voit le nouveau coup qui la menace dans la récente blessure dont elle saigne. Ce n'est pas une force égarée qui cherche aveuglément le remède dans l'oubli du mal et dans de nouveaux biens. C'est une force brisée, qui ne peut se consoler de sa chute, et qui se regrette amèrement elle-même.

« Eh bien, Alice, voilà longtemps que je parle, et je ne vous ai encore rien dit, rien fait comprendre, peut-être. C'est que je suis une énigme pour moi-même. Malade d'amour, je n'aime pas. Une fois, dans ma vie, j'ai cru aimer... j'ai longtemps caressé ce rêve comme une réalité dont le souvenir faisait toute ma richesse, et, à présent !... Eh bien, à présent, hélas ! je ne suis pas même sûre de n'avoir pas rêvé. Ah ! si je pouvais, si j'osais raconter ! Tenez, c'est comme pour aimer : *Vorrei e non vorrei.*

— Eh bien, Julie, répondit Alice en étouffant un profond soupir ; car les paroles d'Isidora l'avaient remplie d'effroi et navrée de tristesse : parlez et racontez. Vous en avez trop dit, et j'en ai trop entendu pour en rester là. Oubliez que vous parlez à la sœur de votre mari. Et pourquoi, d'ailleurs, ne serait-elle pas votre confidente ? Lui vivant, vous eussiez pu chercher en elle un soutien contre votre propre faiblesse, un refuge dans vos courageux repentirs. A présent que je ne peux plus lui conserver ou lui rendre les bienfaits de votre affection, je peux, du moins, accomplir son dernier vœu, en remplissant, auprès de vous, le rôle d'une sœur.

— Appelez-moi votre sœur ! Dites ce mot adorable, *ma sœur*, s'écria Isidora en embrassant avec énergie les genoux d'Alice. Oh ! s'il est possible que vous m'aimiez ainsi, oui, je jure à Dieu que, moi, je pourrai encore aimer et croire ! »

En cet instant Isidora parlait avec l'élan de la conviction, et tout ce qu'elle avait encore de pur et de bon dans l'âme rayonnait dans son beau regard.

Alice l'embrassa et lui donna le nom de sœur, en appelant sur elle la bénédiction de la grâce divine.

« Et maintenant, dit Julie, tout en pleurs, je raconterai le fait le plus caché et le plus important de ma vie, mon seul amour !... C'est un homme que vous connaissez... qui demeure chez vous... qui vous a sans doute parlé de moi...

— Oui, c'est Jacques Laurent », répondit Alice avec un calme héroïque.

Ce nom, dans la bouche de madame de T..., fit frissonner Isidora.

Elle redevint farouche un instant et plongea son regard dans celui d'Alice ; mais elle ne put pénétrer dans cette âme invincible, et la courtisane jalouse et soupçonneuse fut trompée par la femme sans expérience et sans ruse. C'est peut-être la plus grande victoire que la pudeur ait jamais remportée.

« Elle ne l'aime pas, je peux tout dire », pensa Isidora, et elle dit tout, en effet.

Elle raconta son histoire et celle de Jacques, dans les plus chauds détails. Elle n'omit des événements de la nuit que les soupçons qu'elle avait eus sur sa rivale ; elle les oublia plutôt qu'elle ne les voulut celer. Ne les ressentant plus, heureuse d'aimer Alice sans avoir à lutter contre de mauvais sentiments, elle dévoila, avec son éloquence animée, ce triste roman qu'elle voyait enfin se dessiner nettement dans ses souvenirs. Elle confessa même que, sans le vouloir, sans le savoir, entraînée par un prestige de l'imagination, elle avait exagéré à Jacques la passion qu'elle avait conservée pour lui ; et, quand elle eut fait cette confession courageuse, elle ajouta :

« C'est là le dernier trait de ce malheureux caractère que je ne peux plus gouverner, le plus évident symptôme de cette maladie incurable à laquelle je succombe.

« Le besoin d'être aimée m'a fait croire à moi-même que j'aimais éperdument, et je l'ai affirmé de bonne foi ; j'en ai protesté avec ardeur.

« Il l'a cru, lui : comment ne l'eût-il pas fait, quand je le croyais moi-même ?

« Eh bien, j'ai gâté mon roman en voulant le reprendre et le dénouer. Le premier dénouement, brusqué dans la souffrance, l'avait laissé complet dans ma pensée. A présent, il me semble qu'il ne vaut guère mieux que tous les autres, et que le héros ne m'est plus aussi cher.

« Il me semble que j'ai fait une mauvaise action en voulant prendre possession de son âme malgré lui.

« A coup sûr, j'ai manqué à ma fierté habituelle, à mon rôle de femme, en n'ayant pas la patience d'attendre qu'il se renflammât de lui-même.

« Quel doux triomphe c'eût été pour moi de voir peu à peu revenir à mes pieds, en suppliant, cet homme que j'avais si rudement abandonné au plus fort de sa passion, et qui a dû me maudire tant de fois ! Et ne croyez pas que ce regret soit un pur orgueil de coquette ; oh ! non. Je ne demande à inspirer l'amour que pour réussir à y croire ou à le partager.

« J'ai donc empêché cet amour de renaître en voulant le rallumer précipitamment. Là encore ma soif maladive m'a fait renverser la coupe avant de boire, ou, pour employer une comparaison plus vraie, le froid mortel qui me gagne et m'épouvante m'a forcée à me jeter dans le feu, où je me suis brûlée sans me réchauffer.

« Ah ! condamnez-moi, noble Alice, et reprochez-moi sans pitié ce désordre et cette fièvre d'abuser, qui, de mon ancienne vie de courtisane, a passé jusque dans mes plus purs sentiments ; ou plutôt plaignez-moi, car je suis bien cruellement punie ! punie par ma raison, que je ne puis ni reprendre ni détruire ; par la délicatesse de mon intelligence, qui condamne ses propres égarements ; par mon orgueil de femme, qui frémit d'être si souvent compromis par ma vanité de fille.

« J'étais jalouse, cette nuit... jalouse, sans savoir de qui !...

« J'aurais accusé Dieu même de s'être mis contre moi pour m'enlever l'amour de cet homme ! et j'ai cru qu'en le rendant infidèle à sa nouvelle amante, je le reprendrais ; mais je crains de l'avoir perdu davantage, car c'est bien par là que Dieu devait me châtier. Jacques ne m'aime plus..., cela est trop évident. Il me plaint encore ; il est capable de me sermonner, de me protéger au besoin, de mettre toute sa science et toute sa vertu à me sauver. Il est si bon et si généreux ! Mais qu'ai-je besoin d'un prêtre ? c'est un amant que je voulais. J'en retrouve un distrait et sombre... Je ne suis pas aimée.

« Pour la centième et dernière fois de ma vie, je ne suis pas aimée !... O mon Dieu ! et, alors, comment faire pour que j'aime ?

« Voilà mon cœur, hélas ! chère Alice, ce cœur qui agonise et qui ne peut vous répondre de lui-même.

— Vous croyez que Jacques ne vous aime pas ? dit Alice, plongée tout à coup dans une méditation étrange ; serait-ce possible ?... »

Puis elle ajouta, en secouant la tête, comme pour en chasser une idée importune :

« Non, ce n'est pas possible, Julie, Jacques est absorbé par une grande passion, j'en ai la certitude, et vous seule pouvez en être l'objet. Il a trop souffert pour que son premier transport ne soit pas douloureux.

« Mais aimez-le, ma pauvre sœur, au nom du ciel, aimez-le, et vous le sauverez, en vous sauvant vous-même.

« Oh ! ne laissez pas tomber dans la poussière ce poème, ce roman de votre vie, comme vous l'appelez. Si vous avez jamais rencontré une âme capable de connaître et d'inspirer de l'amour véritable, c'est celle de Jacques ; je le connais peut-être plus que vous-même, continua-t-elle avec un calme et mélancolique sourire. Depuis plusieurs mois que je le vois tous les jours, et que je l'entends expliquer à mon fils les éléments du beau et du bon, je me suis assurée que c'était un noble caractère et une noble intelligence. Et puis, ce n'est pas un homme du monde ; sa vie est pure : la solitude, la pauvreté l'ont formé au courage et au renoncement.

« Il a sur la religion et la morale des idées plus élevées que celles d'aucun homme que j'aie connu. Ne le craignez pas, acceptez de lui la lumière de la sagesse, et rendez-lui le feu sacré de l'amour.

« Vous pouvez encore être heureuse par lui, et lui

par vous, Julie ; que votre enthousiasme mutuel ne soit pas une faute et un égarement dans votre double existence. Vous vous êtes plu, maintenant aimez-vous ; et si cet amour ne peut devenir éternel et parfait, faites-le durer assez, ennoblissez-le assez pour qu'il vous soit salutaire à tous deux et vous dispose à mieux comprendre l'idéal de l'amour.

— Et pourquoi donc, Alice, reprit Isidora avec une sorte d'anxiété, ne garderiez-vous pas ce trésor pour vous-même ? Oh ! pardonnez-moi si mon langage est trop hardi ; mais qui doit connaître l'idéal de l'amour, si ce n'est une âme comme la vôtre ? Qui doit mépriser les différences de rang et de fortune, si ce n'est vous ?

— Il ne s'agit pas de moi, Julie, répondit Alice d'un ton de douceur sous lequel perçait une solennelle fierté ; si je souffrais, je vous consulterais à mon tour ; mais je ne souffre pas de mon repos, et l'heure d'aimer n'est apparemment pas venue pour moi, puisque je vous supplie d'aimer noblement le noble Jacques.

— Vous ne l'aimez pas, je le vois bien, Alice, car il n'est pas d'amour sans exclusivisme et sans un peu de jalousie. Et pourtant, voyez combien je vous préfère à toute la terre ! J'ai regret maintenant que vous n'ayez pas envie d'aimer Jacques, tant je serais heureuse de vous faire ce sacrifice.

— Qui ne vous coûterait pas beaucoup, hélas ! dans ce moment-ci, dit tristement Alice, puisque vous n'êtes pas sûre de l'aimer !

— Ah ! quand même je l'aimerais comme le premier jour où je le vis, comme je me figurais l'aimer hier soir ! Mais, si vous ordonnez que je l'aime, Dieu fera ce miracle pour moi. Si mon salut est là, selon vous, je vous promets, je vous jure de ne point le chercher ailleurs.

— Oui, jurez-le-moi, Julie !

— Par quoi jurerai-je ? par le nom de ma sœur Alice ? Je n'en connais pas qui me soit plus sacré.

— Oui, jurez par mon nom de sœur, répondit madame de T... en se levant pour se retirer et en lui serrant fortement la main. Jurez aussi par le nom de Félix, à la mémoire duquel vous devez d'aimer un homme qui respectera dans votre passé la trace de l'affection de mon frère. »

Julie promit, et elles se quittèrent en faisant le projet de se revoir le lendemain. Alice rentra aussi calme en apparence qu'elle était sortie, et elle s'enferma chez elle. Au bout d'une heure, elle sonna sa femme de chambre.

« Laurette, dit-elle à cette jeune Allemande, je me sens très malade. Je suis comme prise de fièvre, et je ne comprends pas bien ce que je vois autour de moi. Écoute, ma fille, tu m'aimes, et tu sais que je ferais pour toi ce que tu vas faire pour moi-même. Tu es pieuse, jure-moi sur ta Bible protestante que si j'ai le délire, tu n'entendras rien, tu ne retiendras rien. Tu ne rediras à personne, pas même à moi (et surtout à moi)... les paroles qui pourront m'échapper...

« N'aie pas peur, ce ne sera peut-être rien ; mais enfin il faut tout prévoir ; arme-toi de courage et de dévouement : jure ! »

Laurette jura.

« Ce n'est pas tout. Jure-moi aussi que tu m'enfermeras si bien, que personne ne me soupçonnera malade d'autre chose que d'une migraine. Jure que tu n'appelleras pas le médecin tant que je serai dans le délire, si j'ai le délire. Jure que tu me laisseras mourir plutôt que de me laisser trahir un secret que j'ai sur le cœur et que Dieu seul doit connaître. »

La simple fille jura malgré son épouvante.

Pâle et consternée, elle déshabilla sa maîtresse, qu'un frisson glacial venait de saisir et dont les dents contractées claquaient déjà avec un bruit sinistre.

Alice resta étendue sur son lit, sans mouvement, pendant vingt-quatre heures. Ses appréhensions ne se réalisèrent pas. Elle n'eut pas de délire.

Les âmes habituées à se dompter et à se contenir portent le silence et le mystère jusque dans le tombeau.

Alice fut plus en danger de mourir durant cette effroyable crise nerveuse que Laurette ne put le comprendre. Elle ne faisait pas entendre une plainte.

Froide, raide et pâle comme une statue de marbre blanc, les yeux ouverts et fixes, elle n'avait aucune connaissance, aucun sentiment de sa situation ; si Laurette ne l'eût sentie respirer faiblement, elle l'eût crue morte ; mais comme elle respirait et ne pouvait exprimer sa souffrance, la bonne Allemande s'imagina parfois qu'elle dormait les yeux ouverts.

Heureusement l'affection fait parfois deviner aux êtres les plus simples ce qui peut nous sauver. Laurette sentant le corps d'Alice si froid et si contracté, ne songea qu'à la réchauffer, et elle finit par amener une légère transpiration. Peu à peu Alice revint à elle-même, et le premier mot qu'elle put articuler, fut pour demander à son humble amie si elle avait parlé.

« Hélas ! Madame, répondit Laurette, vous en

étiez bien empêchée. Voyons si vous n'avez point la langue coupée ou les dents cassées ; car je n'ai jamais pu vous faire avaler une seule goutte d'eau.

« Dieu soit loué ! votre belle bouche n'a rien de moins, et maintenant que vous voilà mieux, il vous faut le médecin et du bouillon.

— Tout ce que tu voudras, Laurette. A présent, j'ai ma tête, je vois clairement. Je souffre beaucoup, mais je suis en possession de ma volonté.

« Embrasse-moi, ma bonne créature, et va te reposer. Envoie-moi mon fils et les autres femmes. Si je me sens redevenir folle, je te ferai rappeler bien vite.

— Eh ! Madame, vous n'avez été que trop sage », dit Laurette naïvement.

Le médecin s'étonna de trouver Alice si faible, et s'émerveilla des terribles effets de la migraine chez les femmes.

Vingt-quatre heures après, Alice était levée et prenait du chocolat au lait d'amandes dans son petit salon, avec son fils, qui la réjouissait de ses caresses, et qui la regardait de temps en temps en lui disant :

« Petite mère, pourquoi donc vous êtes toute blanche, toute blanche ? »

Alice avait la pâleur d'un spectre.

Vingt-quatre heures encore s'écoulèrent avant qu'Alice voulût se montrer à Jacques Laurent. Les ravages de la douleur et de la volonté étaient encore visibles sur son visage, mais déjà ils étaient moins effrayants, et le calme profond qui suit de telles victoires résidait sur son large front encadré de bandeaux soigneusement lissés par Laurette.

Ce jour-là à six heures, Jacques, averti que le dîner était servi, entra dans la salle à manger avec la même préoccupation inquiète que les jours précédents. Mais en voyant Alice assise sur son fauteuil où l'avait apportée le vieux Saint-Jean, un cri de joie lui échappa, cri si profond, si expressif, qu'Alice en tressaillit légèrement.

« J'ai été assez souffrante, mon ami, lui dit-elle en lui tendant la main. Mais ce n'était rien de grave, et me voilà guérie. Je sais que vous avez veillé sur mon enfant comme l'eût fait sa propre mère. Je ne vous en remercie pas, Laurent, mais je vous en aime davantage. »

Pour la première fois, Jacques porta la main d'Alice à ses lèvres ; il ne pouvait parler, il craignait de s'évanouir.

Pour la première fois aussi, Alice devina qu'elle était aimée. Mais il était trop tard, et une pareille découverte ne pouvait qu'augmenter sa souffrance.

Qu'était-ce donc qu'un amour si différent du sien, un amour compliqué, flottant, partagé déjà dans le présent et dans le passé, dans l'avenir peut-être ? Toute sa puissance sur le cœur de Jacques s'était donc réduite, et devait probablement se réduire encore à le rendre infidèle parfois à un souvenir adoré, à une passion toute-puissante dans ses accès et ses retours !

Peut-être qu'Alice eût pardonné si elle eût compris qu'elle n'était point la rivale d'Isidora, mais qu'au contraire Isidora était la sienne dans le cœur de Jacques ; qu'elle n'avait pas causé l'infidélité, mais que l'infidélité avait été commise contre elle. Mais elle en jugea autrement, et elle s'était d'ailleurs trop engagée avec Julie pour ne pas prendre en horreur l'idée de lui disputer son amant. Elle frissonna comme quelqu'un qui se réveille au bord d'un abîme, et elle fit un immense effort de courage et de dignité pour s'éloigner à jamais du danger d'y tomber. Pourtant, chose étrange, mais que toute femme comprendra, à partir de cet instant ce courage lui parut plus facile.

Jacques avait ignoré, ainsi que tout le monde, la gravité du mal qu'elle qualifiait d'indisposition. Il fut effrayé de sa pâleur. Cependant, comme il n'y avait pas d'autre altération profonde dans ses traits, comme l'expression en était sereine, plus sereine même qu'à l'ordinaire, il ne soupçonna pas qu'elle eût été vingt-quatre heures aux prises avec la mort. Il osa à peine la questionner sur ses souffrances, et quoiqu'il eût résolu de lui reprocher, au nom de son fils et de ses amis, l'imprudence qu'elle avait commise en passant toute une nuit à se promener nu-tête dans le jardin, il ne put jamais avoir cette hardiesse.

Le souvenir de cette promenade étrange le frappait de respect et d'une sorte de terreur. Il avait cru découvrir là qu'un grand secret remplissait la vie de cette femme silencieuse et contenue.

Mais quelle pouvait être la nature d'un tel secret? Était-ce une douleur de l'âme ou une souffrance physique soigneusement cachée? Peut-être, hélas! l'accès d'un mal mortel étouffé avec stoïcisme depuis longtemps.

Depuis six mois, il remarquait bien qu'Alice pâlissait et maigrissait d'une manière sensible; mais comme elle ne se plaignait jamais et paraissait d'une constitution robuste, il n'en avait pas encore pris de l'inquiétude. Que croire maintenant? Sa veillée solitaire dans une si profonde absorption était-elle le résultat ou la cause du mal? Quoi que ce fût, il y avait là-dedans quelque chose de solennel et de mystérieux que Jacques n'osait pas dire avoir surpris. A peine put-il se hasarder à demander si madame de T... n'avait pas pris un rhume.

« Non pas, que je sache, répondit-elle simplement. Ce n'est pas la saison des rhumes. » Et tout fut dit.

Jacques ne devait pas savoir qu'il avait assisté au suicide d'une passion profonde, et qu'il était la cause de ce suicide, l'objet de cette passion.

Le repas fini, Alice voulut se lever pour retourner au salon. Mais il y avait un reste de paralysie dans ses jambes, et il lui fut impossible de faire un pas.

Elle pria Jacques d'aller lui chercher un livre dans la chambre de son fils, et l'enfant ayant suivi son précepteur, elle se fit reporter sur son fauteuil : elle ne voulait pas que ces deux êtres se doutassent de ce qu'elle avait souffert.

« Mon ami, dit-elle à Jacques lorsqu'il fut de retour, nous sommes encore seuls ce soir. Je ne rouvrirai ma porte que demain. Je veux utiliser cette soirée en la consacrant à ma belle-sœur, à laquelle j'avais donné, pour avant-hier, un rendez-vous dans son jardin.

« J'ai été forcée d'y manquer, et elle doit être inquiète de moi ; car elle a de l'affection pour moi, j'en suis certaine, et moi, j'en ai pour elle, beaucoup... mais beaucoup ! Vous aviez raison, Jacques : condamner sans appel est odieux, juger sans connaître est absurde.

« Madame de S... n'est une femme ordinaire en rien. Je serais heureuse de la voir maintenant ; mais je suis encore un peu faible pour marcher.

« Voulez-vous avoir l'obligeance d'allez chez

elle, de vous informer si elle est seule, si elle est maîtresse de sa soirée, et, dans ce cas, de me l'amener ?

« Vous pouvez passer par les jardins. La petite porte est et sera désormais toujours ouverte. »

Jacques obéit. Isidora se préparait à monter en voiture pour aller se promener au bois avec quelques personnes.

A peine sut-elle l'objet de la mission de Jacques, par un billet écrit au crayon dans l'antichambre, qu'elle congédia son monde, fit dételer sa voiture, et jetant son voile sur sa tête, elle s'élança vers lui et prit son bras avec une vivacité touchante. « Ah ! que je vous remercie ! lui dit-elle en courant avec lui, comme une jeune fille, à travers les jardins. Quelle bonne mission vous remplissez là ! Je croyais qu'elle m'avait déjà oubliée, et je ne vivais plus.

— Elle a été malade, dit Jacques.

— Sérieusement ? mon Dieu !

— Je ne pense pas ; cependant elle est fort changée. »

Le pressentiment de la vérité traversa l'esprit pénétrant d'Isidora.

Lorsqu'elle songeait à la conduite d'Alice, elle était près de tout deviner ; mais, lorsqu'elle la voyait, ses soupçons s'évanouissaient. C'est ce qui lui arriva encore, lorsque Alice la reçut avec un rayon de bonheur dans les yeux et les bras loyalement ouverts à ses tendres caresses. L'impétueuse et indomptée Isidora ne pouvait élever sa pensée jusqu'à comprendre la fermeté patiente d'un tel martyre, la sublime générosité d'un tel effort.

Et cependant Isidora n'était pas incapable d'un aussi grand sacrifice ; mais elle l'eût accompli autrement, et l'orage de sa passion vaincue eût fait trembler la terre sous ses pieds.

Quel orage pourtant, que celui qui avait passé sur la tête d'Alice ! Quelle tempête avait bouleversé tous les éléments de son être durant cette longue nuit dont le calme avait tant effrayé Jacques ! Et il n'en avait pourtant pas coûté la vie à un brin d'herbe.

Les sanglots d'Alice n'étaient pas sortis de sa poitrine ; ses soupirs n'avaient fait tomber aucune feuille de rose autour d'elle.

Je ne me suis pas promis d'écrire des événements, mais une histoire intime. Je ne finirai par aucun coup de théâtre, par aucun fait imprévu. Alice, Isidora, Jacques, réunis ce soir-là, et souvent depuis, tantôt dans le petit salon, tantôt sur la terrasse du jardin, tantôt dans la belle serre aux camélias, se guérirent peu à peu de leurs secrètes blessures. Isidora fut, chaque jour, plus belle, plus éloquente, plus vraie, plus rajeunie par un amour senti et partagé. Jacques fut, chaque jour, plus frappé et plus pénétré de cet amour qu'il avait tant pleuré, et qui lui revenait, suave et doux comme dans les premiers jours, auprès de Julie, ardent et fort comme il l'avait été aux heures de l'ivresse et de la douleur. Elle aima, par reconnaissance d'abord, puis par entraînement, et, enfin, par enthousiasme ; car Julie retrouvait, avec la confiance, la jeunesse et la puissance de son âme.

Alice fut le lien entre eux. Elle fut la confidente des dernières souffrances et des dernières luttes d'Isidora.

Elle s'attacha à la rendre digne de Jacques, et, sans jamais parler avec lui de leur amour, elle sut lui faire voir et comprendre quel trésor était encore intact au fond de cette âme déchirée. Quand à lui, le noble jeune homme, il le savait bien déjà, puisqu'il avait pu l'aimer alors qu'elle le méritait moins. Mais il avait conçu un idéal plus parfait de l'amour et de la femme en voyant Alice. Par quelle fatalité, étant aimé d'elle, ne put-il jamais le savoir ? Et elle, par quel excès de modestie et de fierté fut-elle trop longtemps aveuglée sur les véritables sentiments qu'elle lui avait inspirés ? Ces deux âmes étaient trop pudiques et trop naïves, et, disons-le encore une fois, trop éprises l'une de l'autre, pour se deviner et se posséder. Leur amour n'était pas de ce monde ; il n'y put trouver place. Une nature toute d'expansion, d'audace et de flamme s'empara de Jacques ; et, ne le plaignez pas, il n'est point trop malheureux.

Mais qu'il ignore à jamais le secret d'Alice, car Isidora serait perdue ! Rassurez-vous, il l'ignorera.

Fiez-vous à la dignité d'une âme comme celle d'Alice. Elle a trop souffert pour perdre le fruit d'une victoire si chèrement achetée. Et ce serait bien en vain qu'elle apprendrait maintenant toute la vérité. Le soir où elle compta, en regardant la pendule, les minutes et les heures que son amant passait aux pieds d'une rivale, elle s'était fait ce raisonnement : s'il ne m'aime pas, je ne puis vivre de honte et d'humiliation ; s'il m'aime et qu'il se laisse distraire seulement une heure, je ne pourrai jamais le lui pardonner. Dans tous les cas, il faut que je guérisse.

Ne la trouvez pas trop orgueilleuse.

A vingt-cinq ans, elle n'avait jamais aimé, et elle s'était fait de l'amour un idéal divin. Elle ne pouvait pas comprendre les faiblesses, les entraînements, les défaillances des amours de ce monde. A la voir si indulgente, si généreuse, si étrangère par conséquent aux passions des autres, on jurerait qu'elle n'essaiera plus d'aimer.

Vous me direz que c'est invraisemblable, et qu'on ne peut pas finir si follement un roman si sérieux. Et si je vous disais qu'Alice est si bien guérie qu'elle en meurt ? vous ne le croiriez pas ; personne ne s'en doute autour d'elle, son médecin moins que personne.

Cependant elle n'est pas condamnée à mort comme malade, dans ma pensée.

Isidora a-t-elle donc embrassé dans Jacques son dernier amour ?

Un jour ne peut-il pas venir où celui d'Alice renaîtra de ses cendres ? Celui de Jacques est-il éteint ou assoupi ? N'y aura-t-il jamais entre eux une heure d'éloquente explication ?

Qui sait ? ces romans-là ne sont jamais absolument terminés.

———

En effet, ce roman ne devait pas finir là, et lorsque nous racontions ce qu'on vient de lire, nous ne connaissions pas bien les pensées de Jacques Laurent. Un an plus tard, nous reçûmes de nouvelles confidences, et les papiers qui tombèrent entre nos mains nous forcent de donner une troisième partie à son histoire.

———

TROISIÈME PARTIE

Ce manuscrit serait un peu obscur si le lecteur n'était au courant du double amour qui s'agitait dans le cœur de notre héros. Nous avons pourtant cru devoir conserver les lettres initiales qu'il avait tracées en tête de chaque paragraphe, selon que ses pensées le ramenaient à Isidora, ou l'emportaient vers Alice.

CAHIER I.

Je me croyais jadis un grand philosophe, et je n'étais encore qu'un enfant. Aujourd'hui je voudrais être un homme, et je crains de n'être qu'un mince philosophe, un *philosopheur*, comme dit Isidora. Et pourquoi cet invincible besoin de soumettre toutes les émotions de ma vie à la froide et implacable logique de la vertu ? La vertu ! ce mot fait bondir d'indignation la rebelle créature que je ne puis ni croire, ni convaincre. Monstrueux hyménée que nos âmes n'ont pu et ne pourront jamais ratifier ! Ce sont les fiançailles du plaisir : rien de plus !

La vertu ! oui, le mot est pédantesque, j'en conviens, quand il n'est pas naïf. Mon Dieu, vous seul savez pourtant que pour moi c'est un mot sacré. Non, je n'y attache pas ce risible orgueil qu'elle me suppose si durement ; non, pour aimer et désirer la vertu, je ne me crois pas supérieur aux autres hommes, puisque, plus j'étudie les lois de la vérité, plus je me trouve égaré loin de ses chemins, et comme perdu dans une vie d'illusion et d'erreur. Funeste erreur que celle qui nous entraîne sans nous aveugler ! Illusions déplorables que celles qui nous laissent entrevoir la réalité derrière un voile trop facile à soulever !

Et j'écrivais sur la philosophie ! et je prétendais composer un traité, formuler le code d'une société idéale, et proposer aux hommes un nouveau contrat social !... Eh bien, oui, je prétendais, comme tant d'autres, instruire et corriger mes semblables, et je n'ai pu ni m'instruire ni me corriger moi-même. Heureusement mon livre n'a pas été fini ; heureusement il n'a point paru ; heureusement je me suis aperçu à temps que je n'avais pas reçu d'en haut la mission d'enseigner, et que j'avais tout à apprendre. Je n'ai pas grossi le nombre de ces écoliers superbes, qui, tout gonflés des leçons de leurs maîtres, s'en vont endoctrinant le siècle, sans porter en eux-mêmes la lumière et la force qu'ils aspirent à répandre ! Cela m'a sauvé d'un ridicule aux yeux d'autrui. Mais, à mes propres yeux, en suis-je purgé ?

Triste cœur, tu es mécontent de toi-même dans le passé, parce que tu es honteux de toi-même dans le présent. Et pourtant, tu valais mieux, en effet, alors que tu te croyais meilleur. Tu étais sincère, tu n'avais rien à combattre ; tu aimais le beau avec passion ; tu te nourrissais de contemplations idéales ; tu te croyais de la race des fanatiques... Tu ne te savais pas faible ; tu ne savais pas que tu ne savais pas souffrir !...

CAHIER I.

Et pourquoi n'ai-je pas su souffrir ? Pourquoi ai-je voulu être heureux en étant juste ? Mon Dieu, suprême sagesse, suprême bonté ! vous qui pardonnez à nos faibles aspirations et qui ne condamnez pas sans retour, vous savez pourtant que je demandais peu de chose sur la terre. Je ne voulais ni richesses, ni gloire, ni plaisirs, ni puissance : oh ! vous le savez, je ne soupirais pas après les vanités humaines ; j'acceptais la plus humble condition, la plus obscure influence, les privations les plus austères.

Quand la misère ployait mon pauvre corps, je ne sentais d'amertume dans mon cœur que pour la souffrance de mes frères... Tout ce que je me permettais d'espérer, c'était de trouver dans mon abnégation sa propre récompense, une âme calme, des pensées toujours pures, une douce joie dans la pratique du bien...

Et quand l'amour est venu s'emparer de ma jeunesse, quand une femme m'est apparue comme le résumé des bienfaits de votre providence, quand j'ai cru qu'il suffisait d'aimer de toute la puissance de mon être pour être aimé avec droiture et abandon, il s'est trouvé que cet être si fier et si beau était maudit, que cette fleur si suave avait un ver rongeur dans le sein, et que je ne serais aimé d'elle qu'à la condition de souffrir mortellement.

Eh bien, mon Dieu, j'ai accepté cela encore ! Elle s'est arrachée de mes bras, et je l'ai perdue sans amertume, sans ressentiment ; j'ai consenti à l'attendre, à la retrouver, et, pendant des années, je l'ai aimée dans la douleur et dans la pitié, sans certitude... que dis-je ? sans espoir d'être aimé. Et pendant ces sombres et lentes années, abattu, mais non brisé, triste, mais non irrité, j'élevais mon âme selon mes forces, à la contemplation des vérités éternelles. Je vivais dans la pureté, j'essayais de répandre autour de moi l'amour du bien, je ne cherchais la récompense de mes humbles travaux que dans les charmes enthousiastes de l'étude. Et puis, lorsque de secrètes douleurs, ignorées de tous, à peine avouées par moi-même, sont venues me troubler, j'ai refoulé mon mal bien avant dans ma poitrine, je ne me suis pas plaint, j'ai respecté le calme sublime d'un autre cœur dont la possession m'eût fait oublier toute ma pâle et morne existence, en vain immolée à une femme orgueilleuse et coupable... Cette fois encore j'ai aimé en silence, et l'indifférence ne m'a pas trouvé plus audacieux et plus vain que n'avait fait le parjure et l'ingratitude...

CAHIER A.

Mais je ne veux pas me rappeler cela... cela doit être comme n'existant pas, et mes yeux ne liront point ici ce nom que ma main n'a jamais osé tracer... Je goûtais, d'ailleurs, dans ce mystère de mes pensées, une sorte de volupté navrante. Je sacrifiais mes agitations au repos d'une âme sublime.

CAHIER A.

Toujours ce souvenir secret, toujours ce vœu étouffé !... Écartons-le à jamais ! mon âme n'est plus un sanctuaire digne de le contenir ; elle est trop troublée, trop endolorie. Il faut un lac aussi pur que le ciel pour refléter la figure d'un ange.

CAHIER I.

Quand j'ai retrouvé cette femme terrible et funeste, qui avait eu mes premiers transports, je ne l'aimais plus. Hélas ! non. Je chercherais vainement à vous tromper, ô vérité incréée ! Je ne l'aimais plus, je ne la désirais plus ; son apparition a été pour moi comme un châtiment céleste pour des fautes que je n'ai pourtant pas conscience d'avoir commises. Elle a cru m'aimer encore, elle croit m'avoir toujours aimé, elle veut que je l'aime ; elle le dit, du moins, elle se le persuade peut-être, et elle me le persuade à moi-même. Ma destinée bizarre la jette dans ma vie comme un devoir, et je l'accepte. Ne dit-elle pas que si je l'abandonne elle est perdue, rendue à l'égarement du vice, au mal du désespoir ? Et à voir comme cette belle âme est agitée, je ne saurais douter des périls qui la menacent si je ne lui sers pas d'égide !... Eh bien, mon Dieu, faites donc que dans l'accomplissement d'un devoir il y ait une joie, un repos, du moins, quelque chose qui nous donne la force de persévérer et qui nous avertisse que vous êtes content de nous ! *Malheureux humains que nous sommes*[1] *!* si nous sentions cela, du moins ! si nos

---

1. On sait que c'est le premier vers du fameux quatrain de J.-J. Rousseau.

pensées pouvaient s'élever assez par l'exaltation de la prière, pour arracher à la vérité éternelle un reflet de sa clarté, un rayon de sa chaleur, une étincelle de sa vie ! Mais nous ne savons rien ! nous nous traînons dans les ténèbres, incertains si c'est le mal ou le bien qui s'accomplit en nous et par nous. Nous n'avons pas plus tôt renoncé à un objet de nos désirs, que l'objet du sacrifice nous semble celui qu'il aurait fallu sacrifier. Nous nous dépouillons pour donner, et la main qui nous implorait se ferme et nous repousse. Nous arrosons de nos pleurs une terre qui promettait des fleurs et des fruits ; elle se sèche et produit des ronces ! Épouvantés, nous nous laissons déchirer par ses épines, et nous nous demandons s'il faut la maudire ou l'arroser de notre sang jusqu'à ce qu'il n'en reste plus ! Sombre image de la parabole du bon grain ! O semeurs opiniâtres et inutiles que nous sommes ! Les rochers se dressent dans le désert, et nous tombons épuisés avant la fin du jour !

CAHIER A.

Pourquoi donc sa vie semble-t-elle s'épuiser comme une coupe que le soleil pompe et dessèche, sans qu'il s'en soit répandu une seule goutte au-dehors ? Mais silence, ô mon cœur ! ce n'est pas pour *elle* que tu dois souffrir ; ton martyre lui est étranger, inutile... Il lui serait indifférent, sans doute... C'est pour une autre que tu dois saigner sans relâche. Oh ! qu'il serait doux de souffrir pour sauver ce qu'on aime !

CAHIER I.

Souffrir pour sauver ce qu'on n'aime plus... oh ! c'est un martyre que les victimes des religions d'autrefois n'ont pas connu, et qu'elles n'auraient pas compris. Leur immolation avait un but, un résultat clair et vivifiant comme le soleil ; et moi je souffre dans la nuit lugubre, seul avec moi-même, auprès d'un être qui ne me comprend pas, ou qui peut-être me comprend trop. Pourquoi, mon Dieu, n'avez-vous pas fait notre cœur assez généreux ou assez soumis pour qu'il pût s'attacher avec passion aux objets de notre dévouement ? Vous avez fait le cœur de la mère inépuisable et sublime en ce genre ; et j'ai cru que je pourrais aimer une femme comme la mère aime son enfant, sans s'inquiéter de donner mille fois plus qu'elle ne reçoit, sans chercher d'autre récompense que le bien qu'il doit retirer de son amour ?

L'amour ! c'est un mot générique, et qui embrasse tant de sentiments divers ! L'amour divin, l'amour maternel, l'amour conjugal, l'amour de soi-même, tout cela n'est point l'amour de l'amant pour sa maîtresse. Hélas ! si j'osais encore me croire philosophe, je tâcherais de me définir à moi-même ce sentiment que je porte en moi pour mon supplice et qui n'a jamais été satisfait. O éternelle aspiration, désir de l'âme et de l'esprit, que la volupté ne fait qu'exciter en vain ! Tous les hommes sont-ils donc maudits comme moi ? Sont-ils donc condamnés à posséder une femme qu'ils voudraient voir transformée en une autre femme ? Est-ce la femme qu'on ne possède pas, qui, seule, peut revêtir à nos yeux ces attraits qui dévorent l'imagination ? Est-ce la jouissance d'un bien réel qui nous rassasie et nous rend ingrats ?

CAHIER A.

Comme *elle* est pâle ! comme sa démarche est lente et affaissée ! Quel mal inconnu ronge donc ainsi cette fleur sans tache ? Oh ! du moins c'est une noble passion, c'est un chaste souvenir ou un désir céleste ; c'est le besoin inassouvi de l'idéal et non le dégoût impie et insolent des joies de la terre. Tu n'as abusé de rien, *toi* ! tu mériterais le bonheur. Quel est donc l'insensé qui ne l'a pas compris, ou l'infâme qui te le refuse ? Si je le connaissais, j'irais le chercher au bout du monde, pour l'amener à tes pieds ou pour le tuer !... Je suis fou !... Et toi, tu es si calme !

CAHIER I.

I. — Non, je ne suis pas de ces êtres stupides et orgueilleux qui se lassent du bonheur. Si j'avais le bonheur, je le savourerais comme jamais homme ne l'a savouré. Je ne me défends pas d'aimer. Je livre mon être et ma vie à quelqu'un qui ne veut pas ou ne peut pas s'en emparer : voilà tout. L'amour est un échange d'abandon et de délices ; c'est quelque chose de si surnaturel et de si divin, qu'il faut une réciprocité complète, une fusion intime des deux âmes ; c'est une trinité entre Dieu, l'homme et la femme. Que Dieu en soit absent, il ne reste plus que deux mortels aveugles et misérables, qui luttent en vain pour entretenir le feu sacré, et qui l'éteignent en se le disputant. Influence divine, ce n'est pas moi qui t'ai chassée du sanctuaire ! c'est *elle,* c'est son orgueil insatiable ; c'est son inquiétude jalouse, qui t'éloignent sans cesse.

CAHIER A.

Oh ! si tu pouvais me donner un jour, une heure, du calme divin que ton âme renferme, et que reflète ton front pâle, je serais dédommagé de toute ma vie de rêves dévorants et de tourments ignorés.

Le calme ! sans doute, tu ne peux ou ne veux pas donner autre chose.

D'où vient que ton amitié ne me l'a pas donné ? Il est des pensées terribles dont l'ivresse n'oserait s'élever jusqu'à toi. Mais, si l'on pouvait s'asseoir à tes pieds, plonger, sans frémir, dans ton regard, respirer une heure, sans témoins importuns et sans crainte de t'offenser, l'air qui t'environne... serait-ce trop demander à Dieu ? et n'ai-je pas assez souffert pour qu'il me soit permis de me représenter une si respectueuse et si enivrante volupté ?

CAHIER I.

Non, l'amour ne peut pas être l'infatigable exercice de l'indulgence et de la compassion. Dieu n'a pas voulu que la plus chère espérance de l'homme vînt aboutir à l'abjuration de toute espérance. Philosophes austères, moralistes sans pitié, vous mentez si vous prétendez que l'amour n'a que des devoirs à remplir et point de joies pures à exiger. Et vous autres, sceptiques matérialistes, qui prétendez que le plaisir est tout, et qu'on peut adorer ce qu'on n'admire pas, vous mentez encore plus. Vous mentez tous, aucun de vous n'aima jamais. Je ne peux pas aimer sans bonheur, et je ne veux pas de plaisirs sans amour. Elle a raison, elle qui devine ma soif et les tourments de mon âme ! elle sent, elle sait que je ne l'aime pas comme elle veut être aimée, comme elle ne peut pas aimer elle-même. Ambitieuse effrénée, qui veut qu'on lui donne ce qu'elle n'a plus, et qu'on l'adore comme une divinité quand elle ne croit plus elle-même !... O malheureuse, malheureuse entre toutes les femmes, pourquoi faut-il que tu sois à jamais punie des erreurs qui t'ont brisée et du mal que tu détestes !

CAHIER A.

Et vous, qui n'aimez pas, qui n'avez peut-être jamais aimé, qui semblez vouloir n'aimer jamais, quelle pensée d'ineffable mélancolie peut donc vous tenir lieu de ce qui n'est pas, et vous préserver de ce qui pourrait être ? Mais qui donc saura jamais...

———

Ici le journal de Jacques Laurent paraît avoir été brusquement abandonné ; nous en avons vainement cherché la suite. Une lettre d'Isidora, datée de trois mois plus tard, nous explique cette interruption.

———

LETTRE PREMIÈRE.

ISIDORA À MADAME DE T...

Alice, revenez à Paris, ou rappelez auprès de vous le précepteur de votre fils. Ses vacances ont duré assez longtemps, et Félix ne peut se passer des leçons de son ami. Quant à vous, ma sœur, cette solitude vous tuera. Je ne crois pas à ce que vous m'écrivez de votre santé et de votre tranquillité d'esprit. Moi, je pars, ma belle et chère Alice ; je quitte la France, je quitte à jamais Jacques Laurent. Lisez ces papiers que je vous envoie et que je lui ai dérobés à son insu. Sachez donc enfin que c'est vous qu'il aime ; efforcez-vous de le guérir ou de le payer de retour. Je sais que son cœur généreux va s'effrayer et s'affliger pour moi de mon sacrifice. Je sais qu'il va me regretter, car s'il n'a pas d'amour pour moi, il me porte du moins une amitié tendre, un intérêt immense. Mais que vous l'aimiez ou non, pourvu qu'il vous voie, pourvu qu'il vive près de vous, je crois qu'il sera bientôt consolé.

Et puis il faut vous avouer que je l'ai rendu cruellement malheureux. Vous vous étiez trompée, noble Alice ! nous ne pouvions pas associer des caractères et des existences si opposés. Voilà près d'une année que nous luttons en vain pour accepter ces différences. L'union d'un esprit austère avec une âme bouleversée par les tempêtes était un essai impossible. C'est une femme comme vous que Jacques devait aimer, et moi j'aurais dû le comprendre dès le premier jour où je vous ai vue.

Je vous ferai ma confession entière. Depuis trois mois que j'ai surpris et comme volé le secret de Jacques, j'ai mis tout en œuvre pour le détacher de vous. Excepté de lui dire du mal de vous, ce qui m'eût été impossible, j'ai tout tenté pour vaincre l'obstacle, pour triompher de la passion que vous lui inspirez, et qui me causait une jalousie effrénée. Cette ambition avait réveillé mon amour, qui commençait à périr de fatigue et de souffrance ; je suis redevenue coquette, habile, tour à tour humble et emportée, boudeuse et soumise, ardente et dédaigneuse. Rien ne m'a réussi ; votre absence lui avait ôté, je crois, jusqu'au sentiment de la vie. Il n'était plus auprès de moi qu'une victime du dévouement qu'il s'était imposé, et je suis presque certaine que, sans la crainte de vous sembler coupable et d'être blâmé par vous, son courage ne se serait pas soutenu. Mais je suis sûre aussi que, pour conquérir votre estime, il eût fait le sacrifice de sa vie entière, et qu'en souffrant mille tortures, il ne se serait jamais détaché de moi.

Eh bien, ne soyez pas effrayée de ma résolution, Alice ! je la prends enfin avec calme. Hier encore, Jacques, plus pâle qu'un spectre, plus beau qu'un saint, me jurait qu'il ne me quitterait jamais, qu'il ne me manquerait jamais de parole. En voyant tant d'abnégation et de vertu, j'ai été prise tout à coup d'un accès de courage et de désintéressement, et je lui ai dit à jamais adieu dans mon cœur. Je vous écris de ma première station, sur la route d'Italie, et probablement il ignore encore, à l'heure qu'il est, que j'ai quitté Paris et brisé sa chaîne ! Voyez combien je suis guérie ! Je désire qu'il l'apprenne avec joie, et la seule tristesse que j'éprouve, c'est la crainte de lui laisser quelque regret.

Pourquoi donc tardons-nous tant à faire ce qui est juste et bon ? Quelle fausse idée nous attachons à l'importance de nos sacrifices et à la difficulté de notre courage ! Il y a plus d'un an que je regarde comme une angoisse mortelle le détachement que je porte aujourd'hui dans mon cœur avec une sorte de volupté. Je ne savais pas que la conscience d'un devoir accompli pouvait offrir tant de consolation.

Ma naïveté à cet égard doit vous faire sourire. Hélas! c'est apparemment la première fois que je cède à un bon mouvement sans arrière-pensée. Puissé-je tirer de cette première et grande expérience la force d'abjurer dans l'avenir mon aveugle et impérieuse personnalité!

Pourquoi ne m'avez-vous pas aidée, chère Alice, à entrer dans cette voie? Ah! si vous aviez aimé Jacques, avec quel enthousiasme je l'aurais rendu à la liberté!... Et pourtant, hier encore, je luttais contre vous... mais c'est que vous ne l'aimez pas... Pourtant, que sais-je? votre langueur, votre mélancolie, cachent peut-être le même secret... Pardonnez-moi, je n'en dirai pas davantage, je vous respecte désormais au point de vous craindre. Voyez à quel point vous m'êtes sacrée! La passion de Jacques pour vous était, pour moi, comme un reflet de votre image dans son âme, et, quoique je fusse en possession de son secret, jamais je n'ai osé le lui dire, jamais je n'ai osé vous combattre ouvertement et vous nommer à lui.

Revoyez-le sans crainte et sans confusion. Il croit que le vieux Saint-Jean a brûlé son journal par mégarde. Il ne se doutera jamais que sa confession est entre vos mains. Ah! c'est la confession d'un ange. Quel noble sentiment, Alice! quelle ferveur mystérieuse, quel pieux respect! N'en serez-vous pas touchée quelque jour? J'aurais donné, moi, dix ans de jeunesse et de beauté pour être aimée ainsi, eussé-je dû ne l'apprendre jamais de sa bouche, et n'en recevoir même jamais un baiser furtif sur le bord de mon vêtement!

C'en est fait! je n'inspirerai jamais cette flamme sainte que j'ai follement rêvée. Autrefois je m'indignais contre mon sort, j'accusais le cœur de l'homme d'injustice, d'orgueil et de cruauté ; mais j'ai bien changé depuis un an ! Si quelque jour vous parlez de moi librement avec Jacques, dites-lui de ne pas se reprocher mes souffrances ; elles m'ont été salutaires, elles ont porté leurs fruits amers et fortifiants. J'ai reconnu enfin qu'il n'était pas au pouvoir du cœur le plus généreux et le plus sublime de donner toute sa flamme à un être troublé et malade comme moi... J'ai reconnu le sceau de la justice divine et le prix de la vertu... la vertu que j'ai tant haïe et blasphémée dans mes désespoirs ! Où seraient donc le bien et le mal ici-bas, si les cœurs coupables pouvaient être récompensés dès cette vie, et s'il n'y avait pas d'inévitables expiations ! Ah ! cette parole est vraie : *Tu seras puni par où tu as péché* ! Cela est vrai pour toutes les erreurs, pour toutes les folles passions de l'humanité. Ceux qui ont abusé des bienfaits de Dieu ne le trouveront plus et seront condamnés à le chercher sans cesse ! La femme sans frein et sans retenue mourra consumée par le rêve d'une passion qu'elle n'inspirera jamais.

Et pourtant l'Évangile nous montre les ouvriers de la dernière heure du jour récompensés comme ceux de la première... ; mais le maître qui paie ainsi, c'est Dieu. Il n'est pas au pouvoir de l'homme de tout donner en échange de peu. Si l'ouvrier tardif et lâche avait le droit d'exiger une part complète, celui qui rétribue serait frustré, et c'est en amour surtout que l'égalité a besoin d'être respectée comme l'amour même ; car l'amour est aussi beau que la vertu, ou plutôt la vertu, c'est l'amour. Il impose les plus grands devoirs, et ces devoirs-là, partagés également, sont les plus vives jouissances. Celui qui croit pouvoir mériter seul, présume trop de lui-même ; celui qui se croit dispensé de mériter, ne recueille rien.

C'est en Dieu seul que je me réfugie, ses trésors à lui sont inépuisables. Si le catholicisme n'était pas une fausse doctrine pour les hommes d'aujourd'hui, je sens que je me ferais carmélite ou trappiste à l'heure qu'il est ; mais le Dieu des nonnes est encore un homme, une sorte d'égal, un jaloux, un amant ; le Dieu qui peut me sauver, c'est celui qui ne punit pas sans retour. Il me semble que j'ai assez expié, et que je mérite d'entrer dans le repos des justes, c'est-à-dire de ne plus connaître les passions.

Mais vous, Alice, vous avez droit à la coupe de la vie, vous vous en êtes trop abstenue ; pourquoi donc craindriez-vous d'y porter vos lèvres pures ? Il est impossible qu'il y ait une goutte de fiel pour vous... Je n'ose nommer Jacques, et pourtant, ma belle sainte, je ne puis m'empêcher de rêver que quelque jour... un beau soir d'été plutôt, Jacques vous surprendra à la campagne, lisant ce paragraphe écrit de sa main : « Si l'on pouvait s'asseoir à tes pieds !... »

Quand vous m'écrirez que ce moment est venu, je reviendrai près de vous, j'y reviendrai calme et purifiée ; et, à mon tour, Alice, je goûterai ce bonheur d'avoir fait des heureux, que vous vouliez garder pour vous seule !

ISIDORA.

La lettre qui suit est de dix ans postérieure à celle qu'on vient de lire.

LETTRE DEUXIÈME.

ISIDORA A MADAME DE T...

Non, je ne suis pas malheureuse. J'ai accompli pour vous, Alice, un sacrifice que je croyais bien grand alors.

Pardonnez-moi si je vous dis aujourd'hui que, dans mes souvenirs, ce grand acte de courage me paraît chaque jour moins sublime, et qu'enfin j'arrive à me trouver assez peu héroïque... Que Jacques me pardonne de parler ainsi ! Et vous surtout, ma sœur chérie, pardonnez-moi de ne pas le pleurer... Il n'y a rien d'injurieux pour lui dans le calme avec lequel je puis parler à présent d'un sujet jadis si brûlant, et naguère encore si délicat. Ce n'est pas de Jacques que je suis guérie, c'est de l'amour ! Oui, vraiment, j'en suis guérie à jamais, Alice, et, pour m'avoir fait cette grâce, Dieu a été trop bon pour moi, il m'a trop largement récompensée d'un moment de force.

Je vous dis cela ce soir, au bord du plus beau lac de la terre, par un coucher de soleil splendide, sous le ciel de la paisible et riante Lombardie, et je parle ainsi dans la sincérité de mon cœur.

Il me semble, tant je suis tranquille, que je ne puis plus souffrir... Peut-être si le ciel était orageux, l'air âcre, et que le paysage, au lieu de l'églogue des prairies bordant de fleurs des flots placides, m'offrît le drame d'un volcan qui gronde et d'une nature qui menace... peut-être mon âme serait-elle moins sereine, peut-être vous exprimerais-je le vide délicieux de mon âme en des termes plus résignés que triomphants... Je ne sais, je n'ose chanter victoire, dans la crainte de tomber dans le péché d'orgueil et d'en être punie ; mais il est certain que, depuis quelques mois, depuis ma dernière lettre, je ressens une joie intérieure qui me semble durable et profonde.

A quoi l'attribuerai-je ? Sera-ce simplement à cet inappréciable bienfait du repos dont je ne me souvenais plus d'avoir joui ? peut-être ! O bonheur des âmes blessées et fatiguées, que tu es humble et modeste ! tu te contentes de ne pas souffrir, tu ne demandes rien que l'absence d'un excès de souffrance ; tu te replies sur toi-même, comme une pauvre plante qui, après l'orage, n'a besoin que d'un grain de sable et d'une goutte d'eau ; bien juste de quoi ne pas mourir et se sentir faiblement vivre... le plus faiblement possible !

Pas de funestes présages, Alice ! ne croyez pas me consoler et m'égayer en me disant que je suis encore jeune et que j'aimerai encore ! Non, je ne suis plus jeune ! si mes traits disent le contraire, ils mentent. C'est dans l'âme que les années marquent leur passage et laissent leur empreinte ; c'est notre cœur, c'est notre imagination qui vieillissent promptement ou résistent avec vaillance.

... Je relis ce que je vous écrivais tout à l'heure, aux dernières clartés d'un soleil mourant ; on m'apporte une lampe, je m'éloigne de la fenêtre...

Mes idées prennent un autre cours.

Pourquoi confondais-je le cœur avec l'imagination ? Dans la jeunesse, c'est peut-être une seule et même chose ; mais, en vieillissant, les éléments de notre être deviennent plus distincts. Les sens s'éteignent d'un côté, le cerveau de l'autre ; mais le cœur est-il donc condamné à mourir avec eux ? Oh non !

grâce à la divine bonté de la Providence, la meilleure partie de nous-même survit à la plus fragile,
et il arrive qu'on se trouve heureux de vieillir. O
mystère sublime ! Vraiment la vie est meilleure
qu'on ne croit ! L'injuste et superbe jeunesse recule
avec effroi devant la pensée d'une transformation
qui lui semble pire que la mort, mais qui est peut-
être l'heure la plus pure et la plus sereine de notre
pénible carrière.

Avec quelle terreur j'avais toujours pensé à la
vieillesse ! Dans la fleur de ma jeunesse, je n'y
croyais pas. « Moi, vieillir ! me disais-je en me
contemplant : devenir grasse, lourde, désagréable à
voir ! Non, c'est impossible, cela n'arrivera pas. Je
mourrai auparavant ; ou bien, quand je me sentirai
décliner, quand une femme me regardera sans
envie, et un homme sans désir, je me tuerai ! »

Il n'y a pas longtemps encore qu'en consultant
mon miroir, ce conseiller sévère, sur lequel les
hommes ont dit et écrit tant de lieux communs
satiriques, je m'effrayais d'une ride naissante et de
quelques cheveux qui blanchissaient ; mais, tout
d'un coup, j'en ai pris mon parti, je n'ai même plus
songé à m'assurer des ravages du temps, et, le jour
où je me suis dit que j'étais vieille, je me suis
trouvée jeune pour une vieille. Et puis, je crois que,
précisément, toutes ces railleries de l'autre sexe, à
propos des beautés qui s'en vont et qui se pleurent,
m'ont donné un accès de fierté victorieuse. J'ai
compris profondément cette ingratitude des
hommes qui, après avoir adulé notre puissance,
l'insulte et la raille dès qu'elle nous échappe. Et j'ai
trouvé qu'il fallait être bien avilie pour regretter ce
vain hommage dont la fumée dure si peu. Enfin,

raison ou lassitude, je me sens réconciliée avec la *vieille femme.*

La vieille femme ! Eh bien, oui, c'est une autre femme, un autre *moi* qui commence, et dont je n'ai pas encore à me plaindre. Celle-là est innocente de mes erreurs passées ; elle les ignore parce qu'elle ne les comprend plus, qu'elle se sent incapable de les imiter. Elle est douce, patiente et juste, autant que l'autre était irritable, exigeante et rude. Elle est redevenue simple et quasi naïve, comme un enfant, depuis qu'elle n'a plus souci de vaincre et de dominer.

Elle répare tout le mal que l'autre a fait, et, par-dessus le marché, elle lui pardonne ce que l'autre, agitée de remords, ne pouvait plus se pardonner à elle-même. La jeune tremblait toujours de retomber dans le mal, elle le sentait sous ses pieds et n'osait faire un pas. La vieille marche en liberté et sans craindre les chutes, car rien ne l'attire plus vers les précipices.

Ne croyez pourtant pas, mes amis, que je vais me composer un rôle, une figure, un costume, un esprit de circonstance. Il y a un genre de coquetterie que je déteste plus que la pire coquetterie des jeunes femmes, c'est celle des vieilles. Je veux parler de ces ex-beautés qui se réfugient dans la grâce, dans l'esprit, dans l'aménité caressante. Je connais ici une marquise de soixante ans dont l'éternel sourire et la banale bienveillance me font l'effet d'une prostitution de l'âme.

Certes c'est là une grande comédienne et qui dissimule bien ses regrets. Elle affecte d'aimer les jeunes gens des deux sexes d'une tendre affection, d'être la *maman* à tout le monde, de faire tous les

frais de gaieté des réunions, d'amener des rencontres, de nouer des mariages, de se rendre indispensable en recevant toutes les confidences, en rendant
mille petits services ; et, au fond du cœur, cette
excellente femme est plus sèche et plus égoïste
qu'on ne pense. Elle fait toutes choses en vue
d'elle-même et du rôle qu'elle s'est imposé. Elle n'a
pas pu rompre avec le succès, et elle poursuit sa
carrière de reine des cœurs sous une forme nouvelle. Elle est jalouse de quiconque fait quelque
bien, et j'ai failli être brouillée avec elle pour avoir
adopté Agathe. Elle voulait l'accaparer, en faire
l'*ornement* de son salon, frapper les esprits par la
production au grand jour de cette modeste fille,
pour arriver à la marier sottement à quelque vieux
patricien, ex-comparse dans son cortège d'adorateurs. Elle eût trouvé moyen de faire grand bruit
avec cela, et d'abandonner la pauvrette, comme elle
a fait de tant d'autres, quand elles ont eu assez brillé
près d'elle, à son profit.

Non, non, jamais je n'imiterai cette marquise ; et
quand, d'un air doucereusement cruel, elle m'honore de ses avis et me cite son propre exemple pour
m'engager à vieillir agréablement, je me détourne
pour ne pas respirer son souffle glacé. Oh ! je ne
prendrai pas votre petit sentier parfumé de roses
fanées, ma charmante vieille ! Je suis vieille tout de
bon, je le sens, je m'en réjouis, j'en triomphe tranquillement au fond de l'âme. Je n'ai pas besoin de
jouer votre comédie. Je n'aime plus les hommes,
moi ! Je n'ai plus besoin de leurs louanges, j'en ai
eu assez, et je sais ce qu'elles valent. Je trouve la
vieillesse bonne et acceptable, mais elle m'arrive
sérieuse et recueillie, non folâtre et remuante. J'ai

encore du cœur, et je veux conserver ce bon reste en ne le gaspillant pas dans de feintes amitiés.

Pardonnez-moi une métaphore qui me vient. Je me figure la jeunesse comme un admirable paysage des Alpes. Tout y est puissant, grandiose, heurté. A côté d'une verdure étincelante, un bloc de pâles neiges et de glaces aiguës a coulé dans le vallon, et les fleurs qui viennent d'éclore là meurent au sein de l'été, frappées au cœur par une gelée soudaine et intempestive. Des roches formidables pendent sur de ravissantes oasis et les menacent incessamment. De limpides ruisseaux coulent silencieusement sur la mousse ; puis, tout à coup, le torrent furieux qu'ils rencontrent, les emporte avec lui et les précipite avec fracas dans de mystérieux abîmes. La clochette des troupeaux et le chant du pâtre sont interrompus par le tonnerre de la cascade ou celui de l'avalanche : partout le précipice est au bord du sentier fleuri, le vertige et le danger accompagnent tous les pas du voyageur, que les beautés incomparables du site enivrent et entraînent. Une nature si sublime est sans cesse aux prises avec d'effroyables cataclysmes ; ici le glacier ouvre ses terribles flancs de saphir et engloutit l'homme qui passe ; là les montagnes s'écroulent, comblent le lac et la plaine, et, de tout ce qui souriait ou respirait hier à leurs pieds, il ne reste plus ni trace ni souvenir aujourd'hui... Oui, c'est là l'image de la jeunesse, de ses forces déréglées, de ses bonheurs enivrants, de ses impétueux orages, de ses désespoirs mortels, de ses combats, et de toute cette violente destruction d'elle-même qu'enfante l'excès de sa vie.

Mais la vieillesse ! je me la figure comme un vaste et beau jardin bien planté, bien uni, bien noble à

l'ancienne mode... un peu froid d'aspect, quoique
situé à l'abri des coups de vent. C'est encore assez
grand pour qu'on y essaie une longue promenade,
mais on aperçoit les limites au bout des belles allées
droites, et il n'y a point là de sentiers sinueux pour
s'égarer.

On y voit encore des fleurs ; mais elles sont
cultivées et soignées, car le sol ne les produit point
sans les secours de la science et du goût.

Tout y est d'un style simple et sévère, point de
statues immodestes, point de groupes lascifs. On ne
s'y poursuit plus les uns les autres pour s'étreindre
et pour lutter : on s'y rencontre, on s'y salue, on s'y
serre la main sans rancune et sans regret. On n'y
rougit point, car on a tout expié en passant le seuil
de cette noble prison dont on ne doit plus sortir ;
et l'on s'y promène ou l'on s'y repose, consolé et
purifié, jouissant des tièdes bienfaits d'un soleil
d'automne. Si, du haut de la terrasse abritée, le
regard plonge dans la région terrible et magnifique
où s'agite la jeunesse, on se souvient d'y avoir été,
et on comprend ce qui se passe là d'admirable et
d'insensé ; mais malheur à qui veut y redescendre et
y courir : car les railleries ou les malédictions l'y
attendent ! Il n'est permis aux hôtes du jardin que
d'étendre les mains vers ceux qui dansent sur les
abîmes, pour tâcher de les avertir ; et encore, cela
ne sert-il pas à grand-chose, car on ne s'entend pas
de si loin.

Voilà mon apologue. Passez-m'en la fantaisie, je
me sens plus à l'aise depuis que je me suis planté ce
jardin.

Mais c'est bien assez philosopher et rêver. Il faut
que je vous parle d'Agathe, de cette pauvre orphe-

line que j'ai adoptée, qui entrait chez moi comme femme de chambre, et dont j'ai fait ma fille, ni plus ni moins.

Je vous ai déjà dit qu'elle était fille d'un pauvre artiste qui l'avait fort bien élevée, mais qui, en mourant, l'avait laissée dans le plus complet abandon, dans la plus profonde misère.

Je n'avais jamais songé à adopter un enfant, je n'avais jamais regretté de n'en point avoir.

Il ne me semblait point que j'eusse le cœur maternel, et peut-être eussé-je manqué de tendresse ou de patience pour soigner un petit enfant. Lorsque cette Agathe est entrée chez moi, j'étais à cent lieues de prévoir que je me prendrais pour elle d'une incroyable affection. Je fus frappée de sa jolie figure, de son air modeste, de son accent distingué, et je me promis d'en faire une heureuse soubrette, libre autant que possible, et traitée avec bienveillance.

Puis, au bout de quelque temps, en courant avec elle, je découvris un trésor de raison, de droiture et de bonté ; et bientôt, je la retirai de l'office pour la faire asseoir à mes côtés, non comme une demoiselle de compagnie, mais comme la fille de mon cœur et de mon choix.

Pourtant si vous nous voyiez ensemble, vous seriez surprise, chère Alice, de l'apparente froideur de notre affection ; du moins, vous nous trouveriez bien graves, et vous vous demanderiez si nous sommes heureuses l'une par l'autre.

Il faut donc que je vous explique ce qui se passe entre nous.

Dès le principe, j'ai examiné attentivement Agathe, je l'ai même beaucoup interrogée. J'ai retiré de cet examen et de ces interrogatoires, la certitude que c'était là un ange de pureté, et en même temps une âme assez forte : un caractère absolument différent du mien, à la fois plus humble et plus fier, étranger par nature aux passions qui m'ont bouleversée, difficile, impossible peut-être à égarer, prudente et réfléchie, non par sécheresse et calcul personnel, mais par instinct de dignité et par amour du vrai.

La docilité semblait être sa qualité dominante, lorsque je lui commandais en qualité de maîtresse. Mais en l'observant, je vis bientôt que cette docilité n'était qu'une muette adhésion à la règle qu'elle acceptait ; l'amour de l'ordre, et surtout une noble fierté qui voulait se soustraire par l'exactitude rigoureuse à l'humiliation du commandement. C'était cela bien plutôt qu'une soumission aveugle et servile pour ma personne. Le silence profond qui protégeait ce caractère grave et recueilli m'empêchait de savoir si les passions généreuses pourraient y fermenter, si la haine de l'injustice et le mépris de la stupidité seraient capables d'en troubler la paix.

A présent encore, quoique j'aie lu aussi avant dans son cœur qu'elle-même, quoique je sache bien qu'elle adore la bonté, j'ignore si elle peut haïr la méchanceté. Peut-être qu'il y a là trop de force pour que l'indignation s'y soulève, pour que le dédain y pénètre. Étonnement et pitié, voilà, ce me semble, toute l'altération que cette sérénité pourrait subir.

Agathe a vécu dans le travail et la retraite, sans rien savoir, sans rien deviner du monde, sans rien désirer de lui, sans songer qu'elle pût jamais sortir de l'obscurité qu'elle aime, non seulement par habitude, mais par instinct. Elle ne connaît pas l'amour, elle en pressent encore si peu les approches, que je me demande avec terreur si elle est capable d'aimer, et si elle n'est pas trop parfaite pour ne pas rester insensible.

Et pourtant, je ne puis concevoir la jeunesse d'une femme sans amour, et je suis épouvantée du mystère de son avenir. Aimera-t-elle, d'amitié seulement, un compagnon de toute la vie, un mari ? Élèvera-t-elle des enfants, sans passion, sans faiblesse, avec la rigide pensée d'en faire des êtres sages et honnêtes ? Quelle rectitude admirable et effrayante ! Sera-t-elle heureuse sans souffrir ? Est-ce possible !

Et pourtant, qu'ai-je retiré, moi, de mes angoisses et de mes tourments ?

Quand j'avais seize ans, l'âge d'Agathe, je n'avais déjà plus de sommeil, ma beauté me brûlait le front, de vagues désirs d'un bonheur inconnu me dévoraient le sein. Rien dans cette enfant ne me rappelle mon passé. Je l'admire, je m'étonne, et je n'ose pas juger.

Quand j'ai changé la condition d'Agathe si soudainement, si complètement, elle a été fort peu surprise, nullement étourdie ou enivrée, et j'ai aimé cette noble fierté qui acceptait tout naturellement sa place. L'expression de sa reconnaissance a été vraie, mais toujours digne. Elle me promettait de mériter ma tendresse, mais elle n'a pas plié le genou, elle n'a pas courbé la tête, et c'est bien. En voyant ce noble maintien, moi, j'ai été saisie d'un respect étrange, et une seule crainte m'a tourmentée, c'est de n'être pas digne d'être la bienfaitrice et la providence d'Agathe. Son air imposant m'a fait comprendre la grandeur du rôle que je m'imposais, et, depuis ce moment, je m'observe avec elle, comme si je craignais de manquer au devoir que j'ai contracté.

Cela fait une amitié qui m'est plus salutaire que délicieuse. Il ne s'agit point d'adopter une telle orpheline pour s'en faire une société, une distraction, un appui. Agathe prend le contrat au sérieux. Elle semble me dire dans chaque regard :

« Vous avez voulu avoir l'honneur d'être mère, songez que ce n'est pas peu de chose, et qu'une mère doit être l'image de la perfection. »

Moi, je ne sais pas me contraindre, et, si quelque folle passion pouvait encore me traverser le cerveau, je ne jouerais pas la comédie. J'éloignerais Agathe plutôt que de la tromper. Mais est-ce donc la pensée que le moindre égarement de ma part troublerait notre intimité, qui fait que je me sens si bien fortifiée dans mon *jardin de vieillesse* ?

Peut-être ! peut-être Agathe m'a-t-elle été envoyée par la bonté divine pour me faire aimer l'ordre, le calme, la dignité, et la convenance. Il est certain que tout cela est personnifié en elle, et que rompre avec ces choses-là, ce serait rompre avec Agathe. Il était donc dans ma destinée que les hommes me perdraient et que je ne pourrais être sauvée que par les femmes ? Vous avez commencé ma conversion, chère Alice ; vous l'avez voulue, vous y avez mis tout votre cœur, toute votre force. Agathe, qui vous ressemble à tant d'égards, l'achève sans se donner la moindre peine, sans se douter même de ce qu'elle fait ; car la douce enfant ignore ma vie, et ne la comprendrait pas si elle lui était racontée.

Minuit.

Agathe m'a forcée de m'interrompre, mais je veux vous dire bonsoir, à présent qu'elle me quitte. J'ai passé solennellement la soirée auprès d'elle, et je me sens comme exaltée par mes propres pensées.

Quelle nuit magnifique ! la terre altérée ouvrait tous ses pores à la rosée, les fleurs la recevaient dans leurs coupes immaculées. Enivrés d'amour, de parfum et de liberté, les rossignols chantaient, et, du fond humide de la vallée, leurs intarissables mélodies montaient comme un hymne vers les étoiles brillantes. Appuyée sur l'épaule d'Agathe, que je dépasse de toute la tête, je marchais d'un pas égal et lent, m'arrêtant quelquefois quand nous atteignions la limite de la balustrade. La terrasse de cette *villa* est magnifiquement située ; absorbées dans la contemplation du paysage vague et profond, et plus encore de l'infini déroulé sur nos têtes, nous ne songions point à nous parler. Peu à peu ce silence amené naturellement par la rêverie, nous devint impossible à rompre. Du moins, pour ma part, je n'eusse rien trouvé à dire qui ne m'eût semblé oiseux ou coupable au milieu d'une telle nuit, solennelle et mystérieuse comme la beauté parfaite. Agathe respectait-elle ma méditation, ou bien éprouvait-elle le même besoin de recueillement ? Agathe aussi est mystérieuse comme la perfection. Son âme sans tache me semblait si naturellement à la hauteur de la beauté des choses extérieures, que j'eusse craint d'affaiblir, par mes réflexions, le charme qu'elle y trouvait. Avait-elle besoin de moi pour admirer la voûte céleste, pour aspirer l'infini, pour se prosterner en esprit devant la main qui sema ces innombrables soleils comme une pluie de diamants dans l'Océan de l'Éther ? Et quelles expressions eussent pu rendre ce qu'elle éprouvait sans doute mieux que moi ? De quel autre sujet eussé-je pu l'entretenir qui ne fût un outrage à la beauté des cieux, une profanation de ces grandes heures et de ces lieux sublimes ?

Quand l'échange de la parole n'est pas nécessaire il est rarement utile. J'en suis venue à croire que tous les discours humains ne sont que vanité, temps perdu, corruption du sentiment et de la pensée. Notre langage est si pauvre que quand il veut s'élever, il s'égare le plus souvent et que quand il veut trop bien peindre, il dénature. Toujours la parole procède par comparaison, et les poètes sont forcés, pour décrire la nature, d'assimiler les grandes choses aux petites. Par exemple ils font du ciel une coupole ; de la lune une lampe ; des fleuves sinueux, les anneaux d'un serpent ; des grandes lignes de l'horizon et des grandes masses de la végétation, les plis et les couleurs d'un vêtement.

Les poètes ont peut-être raison : interprètes et confidents de la nature, chargés de l'expliquer au vulgaire, de communiquer aux aveugles un peu de cette vue immense que Dieu leur a donnée, ils se servent de figures pour se faire entendre, à la manière des oracles. Ils mettent les soleils dans le creux de ces mains d'enfant sous la figure d'un rubis ou d'une fleur, parce que le vulgaire ne peut concevoir que ce qu'il peut mesurer. Et tous tant que nous sommes, nous avons pris une telle habitude de ce procédé de comparaison, que nous ne savons pas nous expliquer autrement quand nous voulons parler. Mais quand l'âme poétique est seule, elle ne compare plus : elle voit et elle sent.

L'intelligence n'explique pas au cœur pourquoi et comment l'univers est beau ; dans aucune langue humaine le véritable poète ne saurait rendre la véritable impression qu'il reçoit du spectacle de l'infini.

Qu'il se taise donc et qu'il jouisse, celui qui n'a rien à démêler avec le monde, rien à lui enseigner ou à recevoir de lui : l'amour d'une vaine gloire dicte trop souvent ces prétendus épanchements. Celui qui parle veut produire de l'effet sur celui qui écoute, et s'il ne cherche point à l'éblouir par l'éclat des mots, du moins il travaille à s'emparer de ses émotions, à lui imposer les siennes, à se poser comme un prisme entre lui et la beauté des choses. Alors, sous l'œil de Dieu, au lieu de deux âmes prosternées, il n'y a plus qu'un cerveau agissant sur un autre cerveau, triste échange de facultés bornées et de misère orgueilleuse !

Mais ce n'est pas cela seulement qui me fermait la bouche auprès d'Agathe : quelle parole de ma bouche flétrie si longtemps par la plainte et l'imprécation, ne fût tombée comme une goutte de limon impur dans cette source limpide, où l'image de Dieu se reflète dans toute sa beauté ? Entre elle et moi, hélas ! il y a un abîme infranchissable : c'est mon passé. Mes doutes, mes vains désirs, mes angoisses furieuses, mes amertumes, mon impiété, ma vaine science de la vie, mes ennuis, tout ce que j'ai souffert ! Cette âme vierge de toute souillure et de toute tristesse doit à jamais l'ignorer. Il y a en elle une infinie mansuétude qui l'empêcherait de me retirer son affection. Peut-être même m'aimerait-elle davantage si elle avait à me plaindre ! Peut-être trouverais-je dans sa piété filiale des consolations puissantes. Mais de même que la mère, forcée de traverser un champ de bataille, cache dans son sein la tête de son enfant pour l'empêcher de voir la laideur des cadavres et de respirer l'odeur de la corruption, de même ma tendresse pour Agathe m'empêchera de lever jamais ce voile virginal qui lui cache les misères et les tortures de cette vie déréglée.

Cette ligne invisible tracée entre elle et moi est un lien, bien plus qu'un obstacle. C'est là que se manifeste, à son insu, ma tendresse pour elle ; c'est là que gît sa confiance en moi. Je lui sacrifie le plaisir que j'aurais parfois à épancher mes pensées ; elle s'appuie sur moi comme sur une force dont elle croit avoir besoin et qui ne réside qu'en elle. Si je me sens triste et agitée, ce qui arrive bien rarement désormais, je l'éloigne de moi quelques instants, pour ne la rappeler que lorsque mon âme a repris son calme et sa joie silencieuse.

Agathe est blanche comme un beau marbre de Carrare au sortir de l'atelier. L'incarnat de la jeunesse ne colorera jamais vivement ce lis éclos dans l'ombre du travail et de la pauvreté ; et cependant un léger embonpoint annonce cette santé particulière aux recluses, santé plus paisible que brillante, plus égale que vigoureuse, apte aux privations, impropre à la douleur et à la fatigue. Trois jours de mon ancienne vie briseraient cette plante frêle et suave, qui, dans la paix d'un cloître, résisterait longtemps à la vieillesse et à la mort.

Auprès de cette fleur sans tache, auprès de ce diamant sans défaut, je sens mon âme s'élever et se fortifier. D'autres jeunes filles ont plus de beauté, une intelligence plus vive et plus brillante, un sentiment des arts plus chaud et plus prononcé. Agathe ne ressemble pas à une statue grecque. C'est la vierge italienne dans toute sa douceur, vierge sans extase et sans transport, accueillant le monde extérieur sans l'embrasser, attentive, douce et un peu froide à force de candeur, telle enfin que Raphaël l'eût placée sur l'autel, le regard fixé sur le pécheur, et semblant ne pas comprendre la confession qu'elle écoute.

Il y a, certes, dans toutes les créatures humaines, un fluide magnétique, impénétrable aux organisations épaisses, mais vivement perceptible aux organisations exquises par elles-mêmes, ou à celles qui sont développées par la souffrance. La présence d'Agathe agit sur moi d'une manière magique. L'atmosphère se rafraîchit ou s'attiédit autour d'elle. Quelquefois, quand le spectre du passé m'apparaît, une sueur glacée m'inonde, et je crois entrer dans mon agonie. Mais si Agathe vient s'asseoir près de moi, l'œil noir et grave et la bouche à demi souriante, elle me communique immédiatement sa force et son bien-être.

Il y a donc en elle quelque chose de mystérieux pour moi, comme je vous le disais ; quelque chose que je n'eusse pas su demander, si l'on m'eût offert de choisir une compagne et une fille selon mes prédilections instinctives. Probablement, j'aurais fait la folie de désirer une fille semblable à moi sous plusieurs rapports. J'aurais voulu qu'elle fût ardente et spontanée, qu'elle connût ces agitations de l'attente, ces bouleversements subits, ces enthousiasmes et ces illusions où j'ai trouvé quelques heures d'ivresse au milieu d'un éternel supplice. Et probablement aussi, au lieu de la préserver du malheur par mon expérience, j'eusse augmenté son irascibilité par la mienne et développé sa faculté de souffrir. Mais un caprice du hasard que je ne puis m'empêcher de bénir superstitieusement comme une faveur providentielle, a jeté dans mes bras un être qui ne me comprend pas du tout et que je comprends à peine. Ce contraste nous a sauvées l'une et l'autre. J'eusse voulu être adorée de ma fille, et c'eût été là un souhait égoïste, un vœu contraire à la nature. Agathe m'aime, et c'est tout ; et moi, l'âme la plus exigeante et la plus jalouse qui fut jamais, je m'habitue à l'idée qu'il est bon d'être celle des deux qui aime le plus. C'est là un miracle, n'est-ce pas ? un miracle que j'eusse en vain demandé à l'amour d'un homme et qu'a su opérer l'amitié d'une enfant.

Vous me demandez si j'aime toujours le luxe, et, me cherchant des consolations où vous supposez que j'en puis trouver, vous vous imaginez que j'ai dû me créer, dans ma villa italienne, une existence toute d'or et de marbre, toute d'art et de splendeur. Il n'en est rien ; tout ce qui me rappelle la courtisane m'est devenu odieux. Je suis dégoûtée, non de la beauté des œuvres de goût, mais de la possession et de l'usage de ces choses-là. J'ai fait cadeau, à divers musées de cette province, des statues et des tableaux que je possédais. Je trouve qu'un chef-d'œuvre doit être à tous ceux qui peuvent le comprendre et l'apprécier, et que c'est une profanation que de l'enfermer dans la demeure d'un particulier, lorsque ce particulier s'est voué à la retraite, et a fermé sa porte aux amateurs et aux curieux, comme je l'ai fait définitivement. J'ai vendu tous mes diamants, et j'ai fait bâtir presque un village autour de moi, où je loge gratis de pauvres familles. Je ne m'occupe plus de ma parure, et je n'ai même pas osé m'occuper de celle d'Agathe, quoique j'eusse trouvé du plaisir à embellir mon idole ; mais la voyant si simple et si étrangère à cette longue et coûteuse préoccupation, j'ai respecté son instinct, et je l'ai subi pour moi-même peu à peu, sans m'en apercevoir. Agathe aime et cultive avec distinction la peinture et la musique. Son père l'avait destinée à donner des leçons. Mais ce pauvre artiste, imprévoyant et déréglé comme la plupart de ceux de ce pays-ci, l'avait laissée sans clientèle et sans protections. Ses talents, du moins, lui servent à charmer les loisirs que sa nouvelle position lui procure, et je suis sortie, grâce à elle, de ma longue et accablante oisiveté. Je me suis remise au piano pour l'accompagner quand elle chante, et nous lisons ensemble tous ces chefs-d'œuvre que je savais par cœur à force de les entendre, mais sans les avoir jamais véritablement compris. Quand elle dessine, je lui fais la lecture, et quand elle lit, je brode au métier. Moi, broder ! je vois d'ici votre surprise ! Eh bien, je suis revenue à ces choses-là que j'ai tant méprisées et raillées, et je reconnais qu'elles sont bonnes. Il y a tant de moments où l'âme est affaissée sur elle-même, où le travail de l'esprit nous écrase, où la rêverie nous torture ou nous égare, qu'il est excellent de pouvoir se réfugier dans une occupation manuelle. C'est affaire d'hygiène morale, et je comprends maintenant comment, vous, qui avez une si haute intelligence, vous pouvez remplir un meuble au petit point.

Agathe a les goûts d'une campagnarde, quoi-

qu'elle ait toujours vécu enfermée dans la mansarde
d'une petite ville. Sa plus grande joie d'être riche
consiste à voir et à soigner des animaux domesti-
ques. Et ne croyez pas que la pauvrette se soit prise
d'admiration et d'affection pour les plus nobles :
elle a peu compris la grâce et la noblesse du cheval,
l'élégance du chevreuil, la fierté du cygne. Tout cela
lui est trop nouveau, trop étranger ; à elle, qui
n'avait jamais nourri que des moineaux sur sa
fenêtre, un pigeon blanc est un objet d'admiration.
Le mouton fait ses délices, et l'autre jour j'ai cru
qu'elle sortirait de son caractère, et ferait des extravagances pour une perdrix qu'on lui a apportée
avec ses petits. J'avais un peu envie d'abord de
dédaigner des goûts aussi puérils. Et puis, je me suis
laissé faire, je me suis sentie faible comme un
enfant, comme une mère ; je me suis attendrie sur
les poules et sur les agneaux, non pas à cause d'eux,
je l'avoue, mais à cause de la tendresse qu'Agathe
leur porte, et des soins assidus qu'elle leur rend sans
se lasser du silence et de la stupidité de ses élèves.
Agathe comprend le Dante, Mozart et le Titien. Et
pourtant elle comprend sa poule et son chevreau !
Il faut bien que le chevreau et la poule en vaillent
la peine. Je me dis cela, et je la suis à la bergerie et
au poulailler avec une complaisance qui arrive à me
faire du bien, à me distraire, à me charmer... sans
que véritablement je puisse m'en rendre compte ! Je
me sens devenir naïve avec un enfant naïf, et je ne
saurais dire où est le beau et le bon de cette naïveté,
à mon âge. Cela m'arrive : je me transforme, un
enfant me gouverne, et j'ai du bonheur à me laisser
aller !

Nous avons eu moins de peine à nous mettre à

l'unisson, à propos des fleurs. Il me semble que les fleurs nous permettent de devenir puérils envers elles, sans qu'elles cessent d'être sublimes pour nous. Vous savez comme je les ai toujours aimées, ces incomparables emblèmes de l'innocence et de la pureté. Agathe voit le ciel dans une fleur, et quand je la vois au milieu des jasmins et des myrtes, il me semble qu'elle est là dans son élément, et que les fleurs sont seules dignes de mêler leur parfum à son haleine.

Et alors il me vient une pensée déchirante : quoi ! cette enfant, cette Agathe de mon âme, cette fleur plus pure que toutes celles de la terre, cette perle fine, cette beauté virginale, sera infailliblement la proie d'un homme ! et de quel homme ? L'amant de cent autres femmes, qui ne verra sans doute en elle qu'une femme de plus, trop froide à son gré, et bientôt dédaignée, si elle reste telle qu'elle est aujourd'hui ; trop précieuse, si elle se transforme, pour ne pas être jalousement asservie et torturée. Oh ! mon Dieu ! je conserve cette candeur sacrée avec une sollicitude passionnée, je veille sur elle, je la couve d'un regard maternel ; je la respecte comme une relique, jusqu'à ne pas oser lui parler de moi, jusqu'à ne pas oser penser quand je suis auprès d'elle : et un étranger viendra la flétrir sous ses aveugles caresses ! un homme, un de ces êtres dont je sais si bien les vices, et l'orgueil, et l'ingrati-tude, et le mépris, viendra l'arracher de mon sein pour la dominer ou la corrompre !... Cette idée trouble tout mon présent et rembrunit tout mon avenir !

LETTRE TROISIÈME.

Dimanche, 15 juin 1845.

Je ne me croyais pas destinée à de nouvelles aventures, et pourtant, mes amis, en voici une bien conditionnée que j'ai à vous raconter.

Il y a quinze jours, j'étais allée à Bergame pour quelque affaire, et je revenais seule dans ma voiture, impatiente de revoir Agathe, que j'avais laissée un peu souffrante à la villa. Je n'étais plus qu'à cinq ou six lieues de mon gîte, et le soleil brillait encore sur l'horizon. Un cavalier me suivait ou suivait le même chemin que moi : il est certain que, soit qu'il me laissât en arrière en prenant le galop, et se mît au pas lorsque mes postillons le rejoignaient, soit qu'il se laissât dépasser et se hâtât bientôt pour regagner le terrain, pendant assez longtemps je ne le perdis pas de vue. Enfin il me parut clair que c'était à moi qu'il en voulait, car il renonça à toutes ces petites feintes, et se mit à suivre tranquillement l'allure de mes chevaux. Tony était sur le siège de ma voiture, toujours le même Tony, ce fidèle jockey que Jacques connaît bien, et qui est devenu un excellent valet de chambre. Il a conservé sa naïveté d'autrefois et ne se gêne point pour adresser la parole aux passants, quand il est ennuyé du silence et de la solitude. Nous montions au pas une forte côte, et j'étais absorbée dans quelque rêverie, lorsque je m'aperçus que Tony avait lié conversation avec le jeune cavalier, qui paraissait ne pas demander mieux, quoiqu'il appartînt évidemment à une classe beaucoup plus relevée que celle de mon domestique.

J'ai dit le jeune cavalier, et, effectivement, celui-là était dans la première fleur de la jeunesse : dix-huit ans au plus, une taille élancée des plus gracieuses, une figure charmante, un air de distinction incomparable, des cheveux noirs, abondants, fins et bouclés naturellement, un duvet de pêche sur les joues, et des yeux... des yeux qui me rappelèrent tout à coup les vôtres, Alice, tant ils étaient grands et beaux, des yeux de ce gros noir de velours, qui devraient être durs en raison de leur teinte sombre, et qui ne sont qu'imposants, parce que de longues paupières et un regard lent leur donnent un fonds de douceur et de tendresse extrême.

Ce bel enfant me fut tout sympathique à la première vue, car ce fut alors seulement que je songeai à regarder ses traits, sa tournure, et la grâce parfaite avec laquelle il gouvernait son cheval. J'écoutai aussi le son de sa voix, qui était doux et plein comme son regard ; son accent, qui était pur et frais comme sa bouche. De plus, c'était un accent français, ce qui fait toujours plaisir à des oreilles françaises, fût-ce dans la contrée *où résonne le si*.

Dans celles-ci, c'est l'*u* lombard qui résonne ; et Tony, qui est très fier de parler couramment un affreux mélange de dialecte et d'italien, s'imaginait que son interlocuteur pouvait s'y tromper. Mais, au bout d'un instant, le jeune homme, voyant bien qu'il avait affaire à un compatriote, se mit tout simplement à lui parler français, et Tony lui répondit bientôt dans la même langue, sans s'en apercevoir.

Leur conversation, que j'entendais par lambeaux,

roulait sur les chevaux, les voitures, les chemins et les distances du pays. Certes un jeune homme aussi distingué que ce cavalier ne pouvait pas trouver un grand plaisir à échanger des paroles oiseuses avec un jeune valet assez simple et passablement familier. Pourtant il y mettait une bonne grâce qui me parut cacher d'autres desseins ; car, bien qu'il n'osât pas se tenir précisément à ma portière, il se retournait souvent et cherchait à plonger ses regards dans ma voiture, et jusque sous le voile que j'avais baissé pour me préserver de la poussière.

Je m'amusai quelques instants de sa curiosité ; puis j'en eus bientôt des remords. « A quoi bon, me dis-je, laisser prendre un torticolis à ce bel adolescent ? Quand il verra les traits d'une femme qui pourrait fort bien être la mère de son frère aîné, il sera tout honteux et tout mortifié d'avoir pris tant de peine. » Nous touchions au faîte de la montée ; je résolus de ne pas le condamner à descendre le versant au trot, et, certaine qu'après avoir vu ma figure, il allait décidément renoncer à me servir d'escorte, je laissai tomber, comme par hasard, mon voile sur mes épaules, et fis un petit mouvement vers la portière, comme pour regarder le pays. Mais quelle surprise, dirai-je agréable ou pénible, fut la mienne, lorsque cet enfant, au lieu de reculer comme à l'aspect de la Gorgone, me lança un regard où se peignait naïvement la plus vive admiration ? Non, jamais, lorsque j'avais moi-même dix-huit ans, je ne vis un œil d'homme me dire plus éloquemment : « Vous êtes belle comme le jour. »

Soyons franche, car, aussi bien, vous ne pouvez pas me prendre pour une sainte ; le plaisir l'emporta sur le dépit, et ma vertu de matrone ne put

tenir contre ce regard de limpide extase et ce demi-
sourire où se peignait, au lieu de l'ironie dédaigneuse sur laquelle j'avais malicieusement compté,
une effusion de sympathie soudaine et de confiance
affectueuse. L'enfant avait faiblement rougi en me
voyant le regarder, de mon côté, avec quelque bienveillance maternelle, mais ce léger embarras ne
pouvait vaincre le plaisir évident qu'il avait à attacher ses yeux sur les miens. Il retenait la bride de
son cheval pour ne pas s'écarter de la portière, et
son trouble mêlé de hardiesse, semblait attendre
une parole, un geste, un léger signe qui l'autorisât
à m'adresser la parole. Enfin, voyant que je
commençais à l'examiner avec un peu de sévérité
feinte, il se décida à me saluer fort respectueuse-
ment.

On salue beaucoup et à tout propos dans ce
pays-ci, surtout les dames, lors même qu'on ne les
connaît pas. Je rendis légèrement le salut, et me
retirai dans le fond de ma voiture, un peu émue, je
le confesse : car, au premier moment de la surprise,
toute femme sent que le plaisir de plaire est invincible en dépit du serment... qui sait ? peut-être à
cause du serment qu'elle a fait d'y renoncer ; mais
cette bouffée de jeunesse et de vanité ne dura point.
Je pensai tout de suite à ma fille Agathe ; je me dis
que je la volais, et que le pur regard d'un si beau
jeune homme lui fût revenu de droit, si elle s'était
trouvée à mes côtés. Je remis mon voile, je levai la
glace, et j'arrivai au relais où je devais quitter la
poste, sans avoir voulu m'assurer de la suite de
l'aventure. Le cavalier me suivait-il encore ? je n'en
savais vraiment rien.

Mon cocher et mes chevaux m'attendaient là

pour me conduire jusque chez moi. En payant les postillons, je vis Tony à quelque distance, parlant bas et avec beaucoup de vivacité au jeune cavalier, qui avait mis pied à terre. Tony riait, frappait dans ses mains, et l'autre paraissait chercher à contenir cette pétulance. Je crus même voir qu'il lui donnait de l'argent, et cela me parut fort suspect, d'autant plus que, lorsque je rappelai Tony pour partir, je le vis tenir l'étrier de son nouveau protecteur, et prendre congé de lui en lui faisant des signes d'intelligence. Nous nous remîmes en route pour cette dernière étape, et l'étranger nous suivit à quelque distance.

Je m'avançai sur la banquette de devant, et, frappant sur le bras de Tony, placé sur le siège : « Quel est ce jeune homme à qui vous avez parlé, et d'où le connaissez-vous ? » lui demandai-je d'un ton sévère. La tête de Tony dépassant l'impériale, je ne pus voir si sa figure se troublait ; mais je l'entendis me répondre avec assez d'assurance : « Je ne le connais point, Madame, mais ça a l'air d'un brave jeune homme ; il a des lettres de recommandation pour Madame : mais il a dit qu'il ne se permettrait point de les lui remettre sur le chemin. Il vient avec nous, il descendra à l'auberge du village, et il viendra voir ensuite au château si Madame veut bien recevoir sa visite.

— C'était donc là ce qu'il te disait ?

— Oui, et il me demandait si je pensais que Madame serait visible en rentrant, ou seulement demain matin. J'ai dit que je n'en savais rien, mais qu'il pouvait bien essayer, que nous n'avions pas fait une longue route, et que Madame ne se couchait pas ordinairement de bonne heure.

— Et c'est pour donner de si utiles renseignements, que vous recevez de l'argent, Tony ?

— Oh ! non, Madame, je venais d'entrer dans un bureau de tabac pour lui acheter des cigares, et il m'en remettait l'argent. »

Ces explications me parurent assez plausibles, et je me tranquillisai tout à fait. Néanmoins, un reste de curiosité me décida à recevoir cette visite aussitôt que je fus rentrée, et après avoir pris seulement le temps d'embrasser Agathe.

Le jeune homme fut introduit, et, dès que j'eus jeté les yeux sur l'adresse de la lettre qu'il me présenta, je lui fis amicalement signe de s'asseoir. Quelles méfiances et quels scrupules eussent pu tenir contre votre écriture, ma chère Alice ? Et comment celui qui m'apporte un mot de vous ne serait-il pas reçu à bras ouverts ?

Mais quel singulier petit billet que le vôtre, et pourquoi avez-vous semblé favoriser l'espèce de mystère dont il plaît à votre protégé de s'entourer ? Qu'est-ce qu'un *jeune homme qui va avoir le bonheur de me voir en Italie, et qui tâchera de se recommander de lui-même ? Vous désirez que je sois bonne pour lui*, et vous ne me dites pas son nom ? Il faut qu'il me le déclare lui-même, qu'il m'apprenne qu'il est l'*ami de votre fils, un peu votre parent*, qu'il ne *vous connaît pourtant pas beaucoup*, qu'il avait un grand désir de m'être présenté, et qu'il me supplie de ne pas le juger trop défavorablement d'après son embarras et sa gaucherie ? J'ai d'abord accepté tout cela sans examen, mais maintenant que j'y songe, et que je vois votre protégé si peu au courant de ce qui vous concerne, je commence à m'inquiéter un peu et à me demander si la personne à laquelle vous avez donné ou envoyé une lettre pour moi (car ceci même n'est pas bien clair) est réellement celle qui me l'a remise. Voyons, m'avez-vous adressé un M. Charles de Verrières, brun, joli, âgé de dix-huit ou dix-neuf ans, parfaitement élevé, quoique un peu bizarre parfois, peu fortuné et encore sans état, à ce qu'il dit ; voyageant, au sortir du collège, pour se former l'esprit et le cœur, apparemment ? Répondez-moi, ma très chère, car je suis intriguée.

Pour que vous en jugiez, ou que vous connaissiez un peu mieux ce protégé qui vous connaît si peu, je reprends ma narration.

Gagnée et vaincue par votre recommandation, et apprenant qu'il était venu de Milan exprès pour me voir, j'ai envoyé chercher son cheval et ses effets à l'auberge, j'ai installé chez moi mon jeune hôte, et nous avons passé ensemble dans la salle à manger, où Agathe nous attendait pour souper. Jusque-là, nous avions été entre *chien et loup* ; lorsque nous nous retrouvâmes en face, les bougies allumées, je retrouvai l'étrange et profond regard de l'enfant toujours attaché sur moi, avec un mélange de crainte, d'admiration, de curiosité, et parfois aussi de doute et de tristesse. Jamais physionomie d'amoureux, enflammé à la première vue, n'exprima mieux les angoisses et l'entraînement d'une passion soudaine. Pourtant ma raison rejetait et rejettera toujours une si absurde hypothèse. Le premier étonnement était passé, et, avec lui, la sotte satisfaction dont je n'avais pu me défendre. Ce jeune homme m'avait servi de miroir pour me dire que j'étais belle encore ; mais quel rapport pouvait s'établir entre son âge et le mien ? La présence d'Agathe me communiquait d'ailleurs ce calme sou-

verain qui émane d'elle et qui réagit sur moi.
Quand Agathe est là, il n'y a point de folle pensée
qui puisse approcher du cercle magique qu'elle
trace autour de nous deux. Je me disais donc que ce
jeune homme avait quelque grâce importante à me
demander, qu'il attendait de moi son bonheur ou
son salut ; et la pensée qu'il connaissait Agathe,
qu'il était épris d'elle, et chastement favorisé en
secret, commençait à me venir.

Mais la tranquillité d'Agathe me détrompa
bientôt. Elle ne le connaissait pas, elle ne l'avait
jamais vu ; et lui, cet enfant si impressionnable, si
avide d'admirer la beauté, si soudain dans l'expression muette de son penchant secret, il ne regardait
point Agathe, il ne la voyait pas. Il ne voyait que
moi. Cette luxuriante jeunesse de ma fille, ces yeux
purs, cette bouche fraîche, cet air angélique, tout
cela ne lui disait rien. Il semblait qu'il n'eût pas le
loisir de s'apercevoir de sa présence.

Je ne savais que penser de ce jeune homme : son
excessive politesse, ce raffinement d'égards et de
menues attentions pour les femmes, qui, en France,
appartient aux patriciens exclusivement, me donnait
la certitude qu'il était ce qu'autour de vous, Alice,
on appelle *bien né* : mais, en même temps, il montrait une instruction solide et complète, une matu-
rité de jugement et une absence de prétentions, qui,
vous le savez bien, et vous me permettez bien de
vous le dire, sont extrêmement rares chez les
enfants de votre caste. L'instruction des classes
moyennes est plus précoce, à cet égard, plus spé-
ciale ; et j'ai toujours remarqué, entre les bacheliers
de la bourgeoisie et ceux de la noblesse, la différence qu'il y a entre une éducation imposée comme

nécessaire et celle qui n'est réputée que d'agrément.
Notre Charles (ou plutôt votre Charles) avait donc
l'esprit d'un roturier et les manières d'un gentilhomme, et cela en fait un personnage original et
frappant, à cet âge où les adolescents de l'une ou de
l'autre classe portent tous le même cachet, ou de
gaucherie sauvage, ou de confiance ridicule. Celui-
ci n'a rien de lourd et rien de frivole, rien de pédant
et rien d'éventé. Il parle quelquefois comme un
homme mûr qui parle bien, et, en le faisant, il ne
perd rien de la grâce et de l'ingénuité de son âge.
Il est réfléchi à l'habitude, étourdi par éclairs,
sérieux d'esprit, gai de caractère, retenu avec bon
goût, expansif avec entraînement. Enfin, il faut le
dire, Alice, et voilà ce qui me désole, il est charmant, il est accompli, et si j'avais seize ou dix-sept
ans, j'en serais folle.

Et pourquoi et comment ne l'est-*elle* pas ? Est-ce
parce qu'elle est vivement frappée au cœur, qu'elle
cache si bien sa folie ? Ou, si elle ne sent rien pour
lui, est-ce qu'elle serait égoïste et insensible ? Je m'y
perds !

Voilà encore mon récit interrompu par des
réflexions et des exclamations auxquelles vous ne
comprenez rien. Je renonce à raconter avec détail,
et en trois mots vous allez m'entendre. Le lendemain, il a enfin très bien remarqué Agathe. Au
grand soleil du matin, grâce à Dieu, j'ai apparemment repris mon aspect de matrone romaine. Le
regard de mon hôte n'était plus si brillant ; il était
plus doux, et le respect semblait tempérer la sympathie. Au grand soleil du matin aussi, ces pâles jasmins qui éclosent sur les joues suaves et fines
d'Agathe exhalaient un irrésistible parfum d'inno-

cence. Charles a senti cette fleur passer entre lui et moi dans l'atmosphère. Il a relevé la tête, et ce qui était logique et légitime est arrivé ; il a été frappé, charmé, doucement et délicieusement pénétré. J'ai vu ce retour vers le cours naturel des choses, la jeunesse attirant la jeunesse, et je ne m'en suis pas alarmée. Qu'est-ce qu'un souffle qui passe ? Qu'est-ce qu'un voyageur qui arrive la veille et part le lendemain ?

Mais il ne partit pas le lendemain. Je ne sais comment la chose se fit, il se rendit nécessaire pour le jour suivant. Nous devions entreprendre une grande promenade sur le lac. J'ignore si le rusé connaissait le lac, mais il eut l'air de ne pas le connaître, de nous demander l'itinéraire de la tournée pittoresque qu'il projetait de faire en nous quittant ; et moi, avec cette candeur qui porte les habitants d'un beau pays à en faire les honneurs aux étrangers, je lui appris que nous serions par là, je lui donnai rendez-vous vers certains rochers, et peu à peu on se fit si bien à l'idée de passer la journée ensemble, qu'on trouva plus sûr, pour se rencontrer à point, de partir et d'arriver dans la même barque.

Cette journée fut charmante : un temps magnifique, des sites délicieux, un enjouement expansif qui alla presque jusqu'à l'intimité, et ces mille petits incidents champêtres qui rapprochent et lient plus qu'on ne l'avait prévu. Tony était notre gondolier et nous égayait comme à dessein, par sa bonne humeur et ses lazzis naïfs.

Le soir, quand nous rentrâmes, nous étions tous trop fatigués pour que Charles se remît en route, et il prit congé de nous, pour le lendemain matin. Il devait partir avec le jour ; mais, à midi, il était encore à l'auberge. Le maréchal avait encloué son cheval ; il en cherchait un autre, et n'en trouvait pas. Il fallut bien songer à lui en offrir un, et l'inviter à venir déjeuner en attendant ; mais, le lendemain, nous allions à quelque distance sur la route de Milan, et nous pouvions le conduire jusque-là. Agathe fit cette réflexion avec un naturel parfait : je n'y vis pas d'objection. Une affaire survint et retarda notre voyage... Que vous dirai-je ?

Charles passa huit jours avec nous, sans que le hasard nous amenât aucune visite, et, durant toute cette semaine, voyant Agathe à toute heure, écoutant sa voix charmante, faisant de la musique et de la peinture avec elle, il en devint amoureux, du moins je le crois, et il m'est impossible d'expliquer autrement la douleur visible et profonde avec laquelle il nous quitta, la joie enthousiaste qu'il éprouva lorsqu'il se fut fait autoriser à revenir au bout d'un mois, époque à laquelle il devait repasser pour aller à Venise.

Et, au lieu de repasser au bout d'un mois, il vient de *repasser*, comme il dit, au bout de huit jours. De prétendues affaires l'ont obligé d'abréger son séjour à Milan, il n'a pas pu traverser la vallée sans s'arrêter pour nous saluer, et voilà encore huit jours qu'il nous salue et nous fait ses adieux.

De tout cela il résulte, Alice, que ma fille a un amoureux, terriblement amoureux, je vous jure, et qui s'est tellement donné à nous, cœur et âme, que je ne sais pas du tout comment je vais le décider à nous quitter. Il faut pourtant s'y résoudre, car les prétextes vont manquer mutuellement, et la vie est si bizarrement arrangée, qu'il ne suffit pas de se plaire et de se convenir parfaitement les uns aux autres pour rester ensemble indéfiniment : il faut des prétextes ; les convenances, qui sont un admirable système de prudence destiné à nous faire toujours sacrifier le présent à l'avenir, le certain à l'incertain, la joie à l'ennui, et la sympathie à la défiance, les convenances exigent que nous éloignions celui que nous voudrions garder, de peur qu'un jour ne vienne où nous regretterions de l'avoir retenu. Et pourtant alors, ces prétextes ne manqueraient pas ; car l'usage autorise les prétextes menteurs et désobligeants. Il ne demande d'art et de vraisemblance qu'à ceux qui donneraient du bonheur. Et pourtant aussi, ce jour où on voudrait l'éloigner n'arrivera peut-être jamais... Peut-être que sa présence nous serait à jamais douce et bienfaisante... Alors, raison de plus pour qu'il s'en aille ; car, si on l'aime, il ne faut pas qu'il s'en doute ; et, s'il s'en doute, il ne faut à aucun prix le lui dire sincèrement. La loyauté gâterait tout, elle inspirerait bien vite la méfiance à celui qui, de son côté, est au désespoir d'en inspirer... Et voilà les cercles vicieux qui se déroulent à l'infini, lorsqu'on met aux prises, dans la première circonstance venue, les lois d'un noble instinct et celles d'un monde hypocrite et froid.

Et, après tout, il se trouve qu'en fait, le monde a raison quatre-vingt-dix-neuf fois sur cent, et que les cas où on lui sacrifie quelque chose de vraiment regrettable sont des cas exceptionnels. Ce n'est pas la froide méfiance du monde qui a fait la corruption et la perversité : c'est la perversité et la corruption des mœurs qui ont rendu nécessaires les lois glacées de la convenance.

Au fait, pourquoi, dans cette occasion-ci, serait-il

prouvé qu'on doit écouter sa sympathie et se révolter contre l'usage ? Ce jeune homme nous plaît énormément, cela est certain. Il est d'un commerce exquis, sa figure et ses manières ont un charme qui tournerait la tête d'une jeune fille un peu romanesque et qui ferait battre d'amour et d'orgueil le cœur d'une mère. Si je consulte mon instinct, je dois m'imaginer que c'est là le fils de mon choix et désirer ardemment qu'il plaise à ma fille, qu'ils se voient, qu'ils s'entendent, et qu'un jour arrive, où, un peu moins enfants l'un et l'autre, ils s'engagent l'un à l'autre.

Il me semble bien que nous nous convenons tous les trois, qu'il est et serait à jamais heureux avec nous, et que, lui, compléterait notre vie. C'est pour le coup que je serais calme et guérie de tout le passé, en voyant naître et en surveillant maternellement ces innocentes amours ; j'aurais une famille, et chaque année, ajoutée à ma vieillesse, au lieu de m'apporter l'effroi de l'abandon et de l'isolement, me donnerait l'espoir et la certitude de voir s'agrandir le cercle de mes saintes affections.

Mais tout cela peut n'être qu'un rêve et une dangereuse illusion. Cet enfant, quand il nous reviendra dans quelques années, sera peut-être corrompu ; et peut-être alors rougirai-je d'avoir songé à lui faire espérer le cœur et la main d'Agathe.

Et, dès à présent, quel est-il, après tout ? Il me semble que je le connais, que je l'ai toujours connu, que je lis dans son âme, que je n'y vois rien que de pur et de beau ; mais ne me trompé-je point ? Ne suis-je pas prévenue par quelque attrait romanesque, par cette séduction de la beauté à laquelle je suis encore trop sensible, par l'isolement où je

vis, et un certain besoin d'illusions qui se reporte
sur l'avenir d'Agathe, faute de pouvoir s'exercer sur
moi-même ? Et d'ailleurs, quoi de plus fragile que
cette beauté d'une âme à peine ouverte aux impres-
sions de la vie ?

Il est certain, d'ailleurs, qu'il y a en lui quelque
chose de mystérieux, et qu'il a de puissants motifs
pour ne nous parler ni de sa famille, ni de ses amis,
ni de sa position dans le monde, ni d'aucune de ses
relations. Quand je cherche à l'interroger, ses
réponses sont laconiques, évasives. Quelquefois
même elles ne sont pas d'accord avec ses précé-
dentes réponses, et il se trouble quand j'en fais la
remarque, comme s'il y avait à son nom quelque
malheur ou quelque honte attachés fatalement.
Mais l'instant d'après il rit de son embarras, et alors
son regard et ses manières ont une franchise, une
confiance, une spontanéité d'affection, qui sem-
blent protester contre la réserve de ses paroles et
attester que son âme est à l'abri de tout reproche et
de tout soupçon. On dirait alors qu'il se moque
tendrement de mes inquiétudes, et qu'il se sent le
maître de les faire cesser.

Moi, j'ai dans l'idée que c'est un enfant de
l'amour, le fils ignoré de quelque noble et pieuse
dame, dont il a deviné et veut garder fidèlement le
secret. S'il en est ainsi, et que par-dessus le marché
il soit pauvre, raison de plus pour qu'il m'intéresse
et que je caresse le rêve de devenir sa mère. On
dirait qu'il devine cela, qu'il y compte, et c'est peut-
être pour cette confiance que je l'aime tant.

Au milieu de toutes mes perplexités, Agathe reste
calme comme Dieu même. Elle l'aime pourtant, je
le crois ; car elle paraît plus heureuse quand il est

là : elle pense, voit et parle comme lui sur tous les points. Elle l'apprécie et l'admire même avec une naïveté incroyable ; mais la tranquillité de ce bonheur et l'incurie de cette affection me surpassent. Il semble qu'elle ne se doute point qu'ils vont se quitter pour longtemps, peut-être pour toujours, ou bien qu'elle s'imagine que le regret et l'absence ne font point de mal. Cette fille si sage et si sensée aurait-elle l'imprévoyance d'un enfant ? ou bien son courage est-il si bien trempé, son enthousiasme si caché et si profond, qu'elle soit invulnérable au doute et à la souffrance ? Moi, qui aime ce jeune homme pour elle, et à cause d'elle, je suis mille fois plus agitée.

Et ne doit-il pas en être ainsi ? Agathe est un enfant gâté, à qui le bien est venu en dormant, et qui se repose sur ma prudence et ma tendresse. Elle s'imagine peut-être sérieusement que c'est là le fiancé que je lui destine, et sa superbe indolence de petite fille adorée accepte ce bonheur comme elle a accepté la fortune, la liberté et mon amour, sans surprise et sans transport. Oui, c'est à moi d'être vigilante et soucieuse ; c'est à moi, qui ai foulé aux pieds l'opinion pour mon propre compte, de faire bonne garde pour que la *fille de César* ne soit pas même soupçonnée ; c'est à moi d'étudier en tremblant les jeunes gens qui passent le seuil de notre sanctuaire, et d'empêcher qu'un souffle malfaisant n'y pénètre. Étrange fille qui m'impose des devoirs si étrangers à mes habitudes et à mon caractère, qui ne se doute point que cela soit si difficile et si grave pour moi !

Il faut pourtant sortir de cette position. Il ne m'arrive pas de lettre de vous ; Charles ne paraît pas disposé à partir si je ne l'y force, et je vous en demande bien pardon, ma sœur, mais je vais mettre votre protégé tout doucement dehors, car je ne veux pas qu'il croie si aisé d'être l'amant et le fiancé de ma fille.

LETTRE QUATRIÈME.

ISIDORA A MADAME DE T...

Lundi 16.

Je relis tout ce que je vous écrivais hier, et je pense que mon cerveau avait un peu de fièvre, car je trouve, aujourd'hui, qu'il n'y avait pas du tout lieu à m'inquiéter si fort. Je vois les choses tout autrement ce matin. Il ne me semble plus que Charles soit amoureux d'Agathe, ni qu'Agathe ait encore pensé à la possibilité d'avoir une inclination. Ils sont, il est vrai, plus gais, plus intimes, plus camarades, si l'on peut ainsi dire, qu'ils ne l'ont encore été. On croirait voir le frère et la sœur ; mais cette amitié enjouée, à la veille de se quitter, ne ressemble pas à l'amour. Non, ils sont trop jeunes, et c'est ma vieille tête, remplie de souvenirs brûlants et flétrie par l'expérience, qui a construit tout ce roman, auquel, dans leur candeur, ces enfants ne songent point. Hier soir, Agathe a eu envie de dormir à neuf heures ; elle a été tranquillement se coucher en folâtrant avec nonchalance. On n'a pas envie de dormir quand on aime et qu'on peut rester jusqu'à minuit auprès de son amant.

Et lui, au lieu d'être triste, ou de ressentir quelque dépit, lui a souhaité un bon somme avec d'innocentes plaisanteries. Il n'a pas paru s'ennuyer le moins du monde de rester tête à tête avec moi tandis que je faisais de la tapisserie ; et comme je l'engageais à aller dormir aussi, il m'a suppliée d'un ton caressant de ne pas l'envoyer coucher de si bonne heure. « Je serai bien sage, me disait-il, je ne vous fatiguerai pas de mon babil ; si vous voulez rêver ou réfléchir en travaillant, je ne ferai pas le moindre bruit. Je me tiendrai là dans un coin comme votre chat. Pourvu que je sois avec vous, c'est tout ce qu'il me faut pour passer une bonne et chère soirée. »

C'est par de semblables câlineries d'une délicatesse incroyable que cet enfant-là trouve le moyen de se faire chérir. Elles sont si vives parfois que si Agathe n'était pas ici, je m'imaginerais peut-être qu'il est épris de mes quarante-cinq ans. « Charles, lui ai-je dit, vous avez une mère, n'est-ce pas ? — Certainement, tout le monde a une mère. — Eh bien, si j'étais votre mère, je serais jalouse. — On voit bien que vous n'êtes pas mère, les mères ne sont pas jalouses. — La vôtre ne l'est pas ? Elle est donc bien calme ou bien préoccupée ? — Une mère est l'image de Dieu, et Dieu n'est pas jaloux de ses enfants. »

Et après cette réponse, pour détourner mes questions, il s'est mis à me parler de vous, et à me questionner sur votre compte, disant qu'il avait eu peu d'occasions de vous voir, et qu'il savait seulement que vous étiez une personne des plus respectables.

« Respectable est peu dire, ai-je répondu : vous pourriez dire adorable et ne rien dire de trop. Je lui appliquerais ce que vous disiez tout à l'heure des

mères en général. Les femmes comme Mme de T...
sont l'image de Dieu sur la terre.

— En vérité ? En ce cas, son fils doit bien
l'aimer !

— Comment ne savez-vous pas à quel point, si
vous êtes son ami ?

— Oh ! son camarade plus peut-être que son
ami. Cet enfant-là d'ailleurs est un étourdi qui ne
vaut probablement pas sa mère.

— Ce n'est pas ce que sa mère m'écrit de lui.
Elle dit que c'est un ange, et je le crois.

— Vraiment, elle dit cela de Félix, cette bonne
madame de T... ? Vous voyez bien que les mères
sont des êtres divins !

— Mais je ne suis pas contente de votre manière
de parler du fils d'Alice...

— Alice ? madame de T... ? Dites-moi, je vous en
prie, si vous la trouvez belle autant qu'on le dit ?

— Comment, vous ne l'avez donc jamais vue ?

— Oui, elle m'a semblé belle ! autant que je puis
m'en souvenir.

— Tenez, lui ai-je dit, en tirant de mon sein
votre portrait que je ne quitte jamais, la voilà, mais
cent fois moins belle, moins angélique, moins parfaite qu'elle n'est en réalité. »

Il a pris votre portrait, et l'a tenu dans ses mains,
le regardant sans cesse en m'écoutant parler. Il
éprouvait une sorte d'émotion étrange, et je crois
vraiment, Alice, qu'il devenait amoureux de vous.
Cet enfant est impressionnable à un point extraordinaire. Ou c'est quelque génie de peintre qui va
prendre son essor et que la beauté tourmente et
subjugue, ou c'est une organisation d'artiste,
mobile, enthousiaste, prête à s'enflammer à toutes

les étincelles qui courent dans l'atmosphère. Il me questionnait toujours ; affectant une légèreté badine, et, pourtant, je savais une ardente curiosité percer sous cette petite feinte. Il souriait, rougissait, et, à mesure que je m'animais en parlant de vous avec passion, il devenait si tremblant que je craignais d'avoir été trop loin, et je m'arrêtai tout d'un coup, pour lui retirer votre portrait qu'il serrait convulsivement contre sa poitrine... Pardonnezmoi, Alice, mais j'ai cru un instant que cet enfant me faisait un mystère de sa passion pour vous, et qu'il avait menti en disant vous connaître à peine, de peur qu'à sa manière de parler de vous je ne vinsse à le deviner. Vous êtes encore assez jeune pour inspirer un violent amour ; vous avez éloigné le jeune Charles en voyant les ravages que vous causiez involontairement ; et, en me le recommandant, vous n'avez pas trop osé vous expliquer sur son compte... Voilà, du moins, le nouveau roman que, pendant quelques minutes, j'ai improvisé sur vous et sur lui !

Mais la scène a changé, et j'ai failli encore une fois me croire l'objet de cette flamme que je rêve en lui, et qui n'y est, en réalité, qu'à l'état de vague aspiration pour toutes les femmes. En me rendant votre portrait, il a pris impétueusement mes mains, et y a porté ses lèvres, baisant à la fois et mes mains et votre image ; et alors, se pliant sur ses genoux d'une manière enfantine et gracieuse, moitié fils, moitié amant : « Vous êtes la plus admirable des femmes ! s'est-il écrié ; oui ! après une autre femme, que je sais, il n'y a rien de plus vrai, de plus aimant et de plus parfait que vous sur la terre. On me l'avait bien dit que vous étiez d'une beauté divine et d'une éloquence irrésistible ! mais il y avait des gens qui prétendaient que vous n'étiez pas bonne et qu'il fallait se méfier de votre puissance ; moi, dès le premier regard que j'ai jeté sur votre figure divine, j'ai senti que ces gens-là en avaient menti ; et depuis, chaque parole que vous avez dite m'a pénétré au fond du cœur. Aussi, je le répète, après une autre femme à laquelle j'ai donné mon cœur et mon âme, il n'en est point que j'aime et que je vénère plus que vous.

— Et cette femme, mon cher enfant, ne serait-ce point Agathe ? lui ai-je dit, entraînée à cette imprudence par l'émotion puissante qu'il me communiquait.

— Agathe ! s'est-il écrié avec une surprise évidente. Agathe ?... Pourquoi donc Agathe ?... Ah ! oui, il est certain que mademoiselle Agathe est charmante. Elle est belle, elle est bonne, elle a de l'intelligence et du cœur. Oui, oui, je l'aime bien tendrement, permettez-moi de vous dire cela. Je voudrais être son frère ! Si j'avais âge d'homme, je voudrais être son mari. Mais à l'heure qu'il est, ce n'est pas elle que je vous préfère, c'est une autre... c'est ma mère ! »

Il a dit cela avec tant d'effusion, et il y avait quelque chose de si angélique en lui, que j'ai senti mes yeux se remplir de larmes. Je l'ai embrassé au front, et je lui ai demandé de me parler de sa mère ; mais voilà où je me confirme dans l'idée qu'il n'est pas fils légitime : c'est qu'après cet élan passionné pour la femme qui lui a donné le jour, il n'a plus voulu ajouter un mot, remettant à une autre fois une confidence qu'il prétend avoir à me faire.

LETTRE CINQUIÈME.

ISIDORA A MADAME DE T...

Mardi 17.

Oh ! Alice, quel dénouement à notre aventure ! et que mon roman me plaît mieux ainsi ! Comme vous avez dû rire, malicieuse amie, depuis le commencement de cette longue et absurde lettre ! Mais je ne la déchirerai pas : car, au milieu de mes extravagances, je vous ai dit tout ce que je pense de lui, tout ce que je sens pour lui, et vous verrez bien que mon cœur avait deviné ce que mon esprit, incroyablement obtus en cette circonstance, ne pouvait pas pénétrer. Je suis sûre qu'il vous a écrit en même temps que moi tout ce qui se passait entre nous, et que vous allez recevoir nos deux versions à la fois. Je veux continuer la mienne, afin que vous compariez ; et, si ce petit démon vous fait quelque mensonge, soyez sûre que c'est moi qui dis la vérité.

Ce matin, Charles devait décidément partir. Il nous avait dit adieu ; mais un adieu si tranquille et si enjoué même, que j'en étais blessée, et j'en revenais à penser que cet enfant, admirablement doué sous le rapport de la figure et de l'esprit, avait le cœur volage et personnel des futurs grands artistes.

Il part en effet, il monte à cheval, il disparaît ; je me sentais mal. Je n'osais regarder Agathe, je craignais de la voir tout à coup pâle et consternée, et de deviner son amour trop tard pour y porter remède. Je la regarde enfin. Elle était tranquille, belle, reposée ; elle avait bien dormi, elle n'avait pas versé une larme, elle souriait à sa perdrix !

Cela me fit plus de mal encore. Les enfants

d'aujourd'hui sont bien forts, me disais-je, et bien froids! L'amour n'est plus de ce siècle; je l'ai cherché toute ma vie sans le trouver, et cette jeune génération ne se donnera même pas la peine de le chercher. C'est mieux, à coup sûr, c'est plus sage et plus heureux; mais je ne comprends plus rien à la vie!

Tony arrive là-dessus; il avait une figure inouïe. Il riait, rougissait, balbutiait et tournait une lettre dans ses mains. « Qu'as-tu donc? Est-ce que M. de Verrières a oublié quelque chose?

— Non, non, Madame, ce n'est pas lui, c'est un autre, à présent!

— Comment? Quel autre? Donne donc!

— C'est M. Félix qui arrive, M. Félix de T..., le neveu à feu M. le comte »

J'ouvre la lettre. « Ma chère tante, voulez-vous permettre à un neveu, dont vous vous souvenez sans doute à peine, mais qui ne vous a jamais oubliée, de venir vous embrasser de la part de sa mère? Il est à votre porte.

                                                    « FÉLIX DE T... »

Eh bien! Alice, je ne sais où j'ai l'esprit; mais il paraît que, hors les cas, aujourd'hui oubliés, d'amour et de jalousie, je ne possède aucune pénétration. Me voilà éperdue de joie, courant au-devant de ce neveu, dont je n'ai jamais reçu un signe de souvenir et d'affection, ce qui me blessait un peu, quoique je ne vous en aie jamais parlé, mais que j'adore déjà, parce qu'il est votre fils et parce qu'il m'écrit un si aimable billet.

Je m'élance, Agathe me suit, Tony rit et saute

comme un fou. Un tourbillon de poussière vient à nous. Un homme descend de cheval au milieu de ce nuage et se précipite dans mes bras... C'est Charles de Verrières, c'est-à-dire, c'est Félix de T... !

Oh ! quel être que votre fils, Alice ! Quel adorable enfant cela fait aujourd'hui, et quel homme irrésistible ce sera un jour ! Vous seule pouviez mettre au monde et développer un pareil naturel ! Comment n'ai-je pas compris, dès la première vue, qu'il n'y avait pas d'enfant comme lui, à moins que ce ne fût l'enfant d'Alice !

Alors, me prenant un peu à part, après les premières effusions, il m'a confessé la cause de toute cette petite comédie. Il avait, malgré vous, malgré lui-même, quelques préventions contre moi. Il avait entendu parler de moi si diversement ! Dans votre famille, il y a encore de vieux parents si acharnés contre la pauvre Isidora, et on vous fait un crime si grave, ma divine amie, de me traiter comme votre sœur ! L'enfant croyait à vous plus qu'aux autres ; mais, quand on lui disait que je vous trompais, que je ne vous aimais pas, que j'étais un génie infernal, un esprit de ténèbres et de perdition, il était effrayé et n'osait vous le dire. Enfin, envoyé par vous à Milan, avec un parent qui voulait lui montrer une partie de l'Italie, il a résolu de me voir sans se faire connaître, et il m'a répété aujourd'hui ce qu'il me disait l'autre jour. D'abord, la voix publique lui apprenait sur son chemin que je n'étais pas une mauvaise femme ; il a vu que je n'employais pas ma fortune à de méchantes actions. Sans doute, on lui aura dit aussi ce dont il a la délicatesse de ne point parler, le cher enfant ! à savoir qu'à l'endroit des mœurs j'étais désormais *irréprochable* ! Enfin, il m'a vue, il m'a trouvée belle, et d'une beauté qui lui a plu. Il m'a dit cela comme il vous le disait, et maintenant je l'écoute comme vous l'écouteriez vous-même. Et le reste, vous le savez : il s'est trouvé si heureux, si à l'aise, si bien selon son cœur auprès de moi, que, si ce n'était pour aller vous rejoindre, il ne voudrait jamais me quitter. Mais il peut rester encore quelques jours. Son parent est retenu à Milan par une affaire, et, d'après vos intentions, il l'a autorisé à passer ce temps près de moi.

Tony qui, enfant, a beaucoup joué avec lui, l'avait reconnu au relais où il mit pied à terre la première fois à une petite cicatrice particulière qu'il a à la main, et qui provient d'une blessure prise en jouant avec lui, précisément. Tony, sachant qu'on voulait me faire une agréable surprise, a gardé le secret. Quant à Agathe, elle ne savait rien, sinon que *Charles* ne s'en allait pas pour tout de bon ce matin.

S'aiment-ils ? Ils s'aiment comme Félix me l'a dit, fraternellement ; et un jour ils s'aimeront autrement, si nous le voulons toutes les deux, Alice. Vous le voudrez quand vous connaîtrez Agathe, et ce sera une manière, peut-être, de faire accepter à votre fils la fortune de son oncle, qui lui serait revenue en grande partie un peu plus tard. Mais laissons au temps à régler le cours des choses ; j'étais une folle de le devancer par mon inquiétude ; je ne comprenais pas que *Charles* pût rester et se plaire autant ici à cause de moi, et j'étais forcée de supposer que c'était à cause d'Agathe. A présent, je sais que *Félix* était chez sa tante pour l'amour d'elle, et si Agathe a aidé à lui faire trouver le temps agréable, c'est par rencontre et par bonne chance.

Oh ! ma chère Alice, quelles belles fleurs croissent dans le jardin de la vieillesse quand on a de tels enfants ! et qu'il est doux de vivre en eux quand on est dégoûté de vivre pour soi-même ! Que vous êtes heureuse d'être mère, et que je suis bien dédommagée de l'être devenue de cœur et d'esprit !

CHRONOLOGIE DES ŒUVRES
DE GEORGE SAND

La date indiquée est celle de la première publication (dans un périodique ou en volume). Pour les pièces de théâtre, c'est celle de la première représentation.

Pour certaines œuvres, il nous a semblé utile d'indiquer la date de composition, à la suite du titre, entre crochets[1].

1831	*Rose et Blanche* (ouvrage signé G. Sand).
1832	*Indiana.*
	Valentine.
1833	*Lavinia.*
	Lélia.
1834	*Le Secrétaire intime.*
	Leone Lioni.
	Jacques.
1834-1836	*Lettres d'un voyageur.*
1835	*André.*
1836	*Simon.*
1837	*Lettres à Marcie.*
	Mauprat.
	Les Maîtres mosaïstes.
1837-1838	*La Dernière Aldini.*
1838	*L'Uscoque.*
1838-1839	*Spiridion.*
1839	*Les Sept Cordes de la lyre.*
	Lélia (édition remaniée).
29 avril 1840	*Cosima.* (Théâtre.)

---

1. « Chronologie de Pierre Salomon », *in George Sand*, les Éditions de l'Aurore, 1984.

1841	*Le Compagnon du tour de France.*
	Un hiver à Majorque.
1841-1842	*Horace.*
1842	*Dialogues familiers sur la poésie.*
1842-1843	*Consuelo.*
1843-1844	*La Comtesse de Rudolstadt.*
1844	*Jeanne.*
1844-1846	Collaboration à *L'Éclaireur de l'Indre.*
1845	*Le Meunier d'Angibault.*
	Le Péché de Monsieur Antoine.
1845-1846	*Teverino.*
1846	*La Mare au diable.*
	Lucrezia Floriani.
1847	*Le Piccinino.*
1847-1848	*François le Champi.*
1848	*Lettre à la classe moyenne.*
	Lettres aux riches.
	Lettres au peuple.
	Histoire de France, écrite sous la dictée de Blaise Bonnin.
	Collaboration au *Bulletin de la République*, à *La Cause du peuple*, à *La Vraie République.*
1848-1849	*La Petite Fadette.*
25 nov. 1849	*François le Champi.* (Théâtre.)
11 janv. 1851	*Claudie.* (Théâtre.)
1851	*Le Château des Désertes (1847).*
26 nov. 1851	*Le Mariage de Victorine.* (Théâtre.)
1852	*Mont-Revêche.*
1853	*La Filleule.*
	Les Maîtres sonneurs.
28 nov. 1853	*Mauprat.* (Théâtre.)
1854	*Adriani.*
1854-1855	*Histoire de ma vie* [commencé en 1847].
15 sept. 1855	*Maître Favilla.*
1855-1856	*Le Diable aux champs* [1851].
1857	*La Daniella.*
1857-1858	*Les Beaux Messieurs de Bois-Doré.*
1858	*L'Homme de neige.*
	Légendes rustiques.
1859	*Elle et Lui.*
	Jean de la Roche.
1860	*Le Marquis de Villemer.*
1861	*La Famille de Germanche.*
	Valvèdre.
1862	*Tamaris.*
	Antonia.
1863	*Mademoiselle de la Quintinie.*

BIBLIOGRAPHIE

ŒUVRES AUTOBIOGRAPHIQUES

Bibliothèque de la Pléiade, Gallimard, textes établis, présentés et annotés par Georges Lubin.

— Tome I
  Histoire de ma vie, 1re, 2e, 3e parties.
— Tome II
  Histoire de ma vie, 4e et 5e parties, suivi de :
Voyage en Espagne — Mon grand-oncle — Voyage en Auvergne — La Blonde Phoebé — Nuits d'hiver — Voyage chez M. Blaise — Les Couperies — Sketches and Hints — Lettres d'un voyageur — Journal intime — Entretiens journaliers avec le très docte et très habile docteur Piffoel, professeur de botanique et de psychologie — Fragment d'une lettre écrite de Fontainebleau — Un hiver à Majorque — Souvenirs de mars-avril 1848 — Journal de novembre-décembre 1851 — Après la mort de Jeanne Clésinger — Le Théâtre et l'acteur — Le Théâtre des marionnettes de Nohant.
Lettres d'un voyageur (Garnier-Flammarion).
Nouvelles Lettres d'un voyageur (Édition d'aujourd'hui, préf. de G. Lubin).

ŒUVRES COMPLÈTES

Œuvres complètes. Réimpression de l'édition de Paris, 1857-1905 (Slatkine, 32 vol.).

CORRESPONDANCE

Textes réunis, classés et annotés par Georges Lubin.
20 volumes parus (Classiques Garnier 1964-1985).
Autres volumes à paraître.

ROMANS

Les Beaux Messieurs de Bois-Doré (Albin Michel, 1976).

Le Château des Désertes (Éditions de l'Aurore, 1985).

Le Compagnon du tour de France (Éditions d'aujourd'hui, 1979, Presses universitaires de Grenoble, 1980).

La Comtesse de Rudolstadt (Classiques Garnier, 1959, Éditions de l'Aurore, 1984).

Consuelo (Éditions de l'Aurore, 1983).

François le Champi (Gallimard-Folio, 1976, Livre de Poche, 1977).

Un hiver à Majorque (Poche Classique, 1984).

Indiana (Éditions d'aujourd'hui, 1979, Gallimard-Folio, 1984, Classiques Garnier, 1985).

Laura. Voyage dans le cristal (Éditions Nizet, 1977).

Lélia, texte de l'édition de 1833 (Éditions d'aujourd'hui, 2 vol., 1976).

Les Maîtres sonneurs (Gallimard-Folio, 1979, Classiques Garnier, 1980).

La Mare au diable (Garnier-Flammarion, 1975, Gallimard-Folio, 1973, Classiques Garnier, 1981, Classiques Hachette, 1984, Poche Classique, 1973).

Mauprat (Garnier-Flammarion, 1969, Gallimard-Folio, 1981).

Le Meunier d'Angibault (Éditions d'aujourd'hui, 1979, Poche Classique, 1980).

Le Péché de Monsieur Antoine (Éditions d'aujourd'hui, 2 vol., 1979, Éditions de l'Aurore, 1982).

La Petite Fadette (Classiques Garnier, 1981, Hachette, 1979, Livre de Poche, 1973, Nathan, 1984).

Promenades autour d'un village (Éditions Pirot, 1984).

Spiridion (Éditions d'aujourd'hui, 1976).

Tamaris (Éditions de l'Aurore, 1984).

La Ville noire (Presses universitaires de Grenoble, 1978).

ŒUVRES FANTASTIQUES

Contes d'une grand-mère (Éditions d'aujourd'hui, 1979).

Légendes rustiques suivies des *Visions de la nuit dans les campagnes,* illustrations de Maurice Sand (Marabout, Jeanne Laffite : édition fac-similé, 1975).

Les Sept Cordes de la lyre (Flammarion, 1973).

LIVRE-CASSETTE

Consuelo (extraits lus par Madeleine Robinson) (Des femmes, Bibliothèque des voix, 1984).

TABLE DES MATIÈRES

Elisabeth Vigée-Lebrun, *Souvenirs,* 2 tomes.
Isabelle Vissière, *Procès de femmes au temps des philosophes.*
Mary Wollstonecraft Shelley, *Mathilda.*

DANS LA BIBLIOTHÈQUE DES VOIX

Sarah Bernhardt, *Ma double vie*
    lu par Edwige Feuillère.
Alice James, *Journal*
    lu par Isabelle Adjani.
Madame de La Fayette, *La Princesse de Clèves*
    lu par Michèle Morgan.
George Sand, *Consuelo*
    lu par Madeleine Robinson.
Nouvelles, La Marquise
    lu par Nathalie Baye.
Sido, *Lettres à sa fille*
    lu par Edwige Feuillère.
    Précédé de *Sido ma mère,* lu par Colette.
Madame de Staël, *Corinne ou l'Italie*
    lu par Françoise Fabian.

Achevé d'imprimer en mars 2004
dans les ateliers de Normandie Roto Impression s.a.s.
61250 Lonrai
N° d'impression : 040511
Dépôt légal : mars 2004
Imprimé en France

Sophia Kovalevsky
Kavalevsky